U0064628

劉福春・李怡 主編

民國文學珍稀文獻集成

第一輯

新詩舊集影印叢編　第20冊

【俞平伯卷】

憶

北京：樸社 1925 年 12 月版

俞平伯　著

花木蘭文化出版社

國家圖書館出版品預行編目資料

憶／俞平伯　著 -- 初版 -- 新北市：花木蘭文化出版社，2016

〔民 105〕

178 面；19 ×26 公分

（民國文學珍稀文獻集成・第一輯・新詩舊集影印叢編　第 20 冊）

ISBN：978-986-404-622-5（套書精裝）

831.8　　105002931

ISBN-978-986-404-622-5

9 789864 046225

民國文學珍稀文獻集成・第一輯・新詩舊集影印叢編（1-50 冊）

第 20 冊

憶

著　　者　俞平伯

主　　編　劉福春、李怡

企　　劃　首都師範大學中國詩歌研究中心

北京師範大學民國歷史文化與文學研究中心

（臺灣）政治大學民國歷史文化與文學研究中心

總 編 輯　杜潔祥

副總編輯　楊嘉樂

編　　輯　許郁翎

出　　版　花木蘭文化出版社

社　　長　高小娟

聯絡地址　235 新北市中和區中安街七二號十三樓

電話：02-2923-1455／傳真：02-2923-1452

網　　址　http://www.huamulan.tw 信箱 hml 810518@gmail.com

印　　刷　普羅文化出版廣告事業

初　　版　2016 年 4 月

定　　價　第一輯 1-50 冊（精裝）新台幣 120,000 元

憶

俞平伯 著

樸社（北京）一九二五年十二月初版。原書五十開。

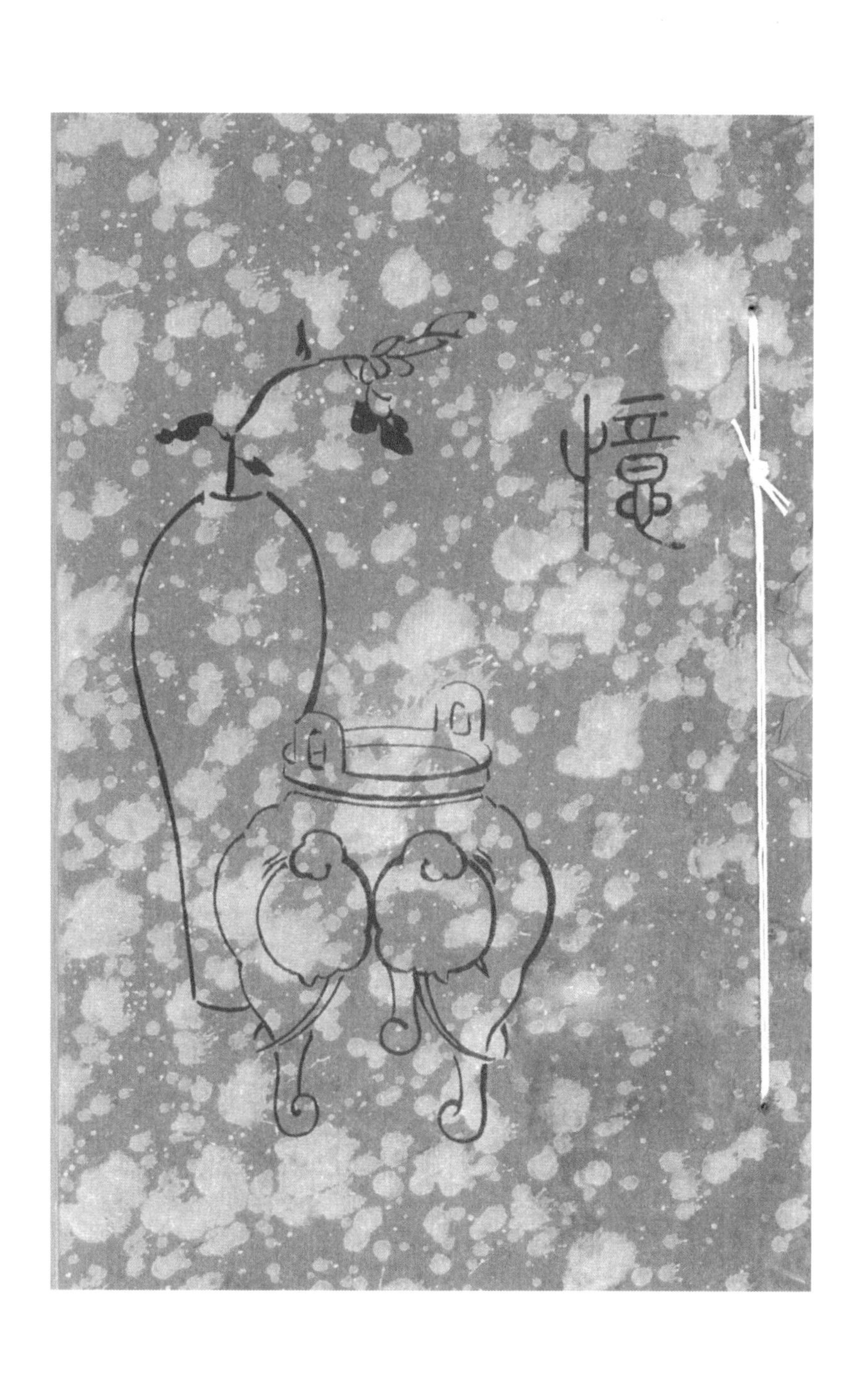
憶

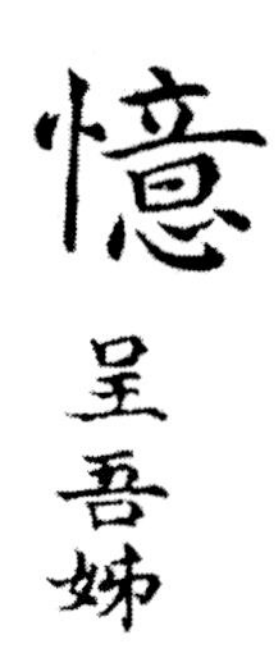
憶
呈吾姊

瓶花帖妥爐香定
覓我童心廿六年

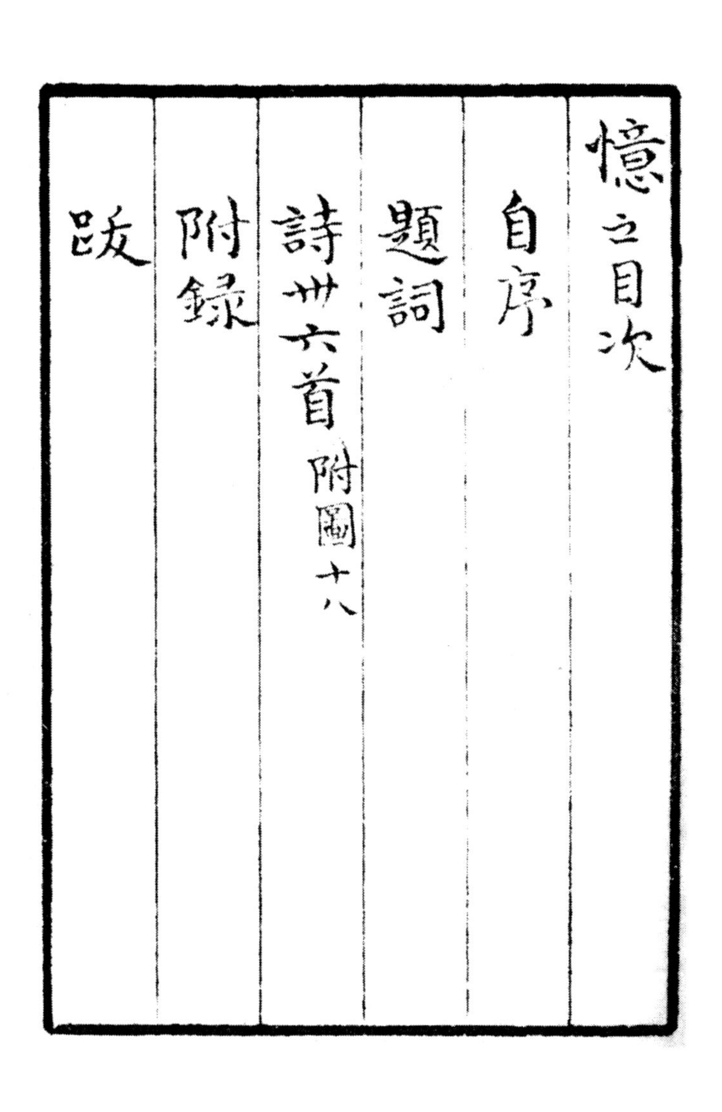

憶之目次

寫定此目錄既竟，謹致謝意於朋友們。——作畫的豐子愷君，作封面畫的孫春臺君，作跋詞的朱佩弦君。——他們都愛這小頑意兒，給牠糖吃，新衣服穿。彳亍於憶之路上的我，不敢輕易把他們撇掉的。

十四年國慶日記。

自叙

雲海底浮漚，風来時散了。雲底纖柔風底流蕩，自己雖是兩無心的，而在下面的却每不辭冒昧去代惋惜着；這真是癡愚得到無可辯解的了。但若這个亦不足稍留我們底眷戀，人間底情思豈不更將飄泊于茫昧中了。我們且以此自珍罷，且以此自慰罷，且莫聽那「我們外」底冷笑罷！

我們低首在沒柰何的光景下，這便是沒柰何中底可柰何。

至於童心原非成人所能了解的，且非成人所能迴溯的。憶中所有的只是薄薄的影罷哩。雖然，即使是薄影罷——
只要牠們在剎那的情懷裏，如濤底怒，
如火底焚煎，歷歷而可畫；我不禁搖撼這
風魔了似的眷念。

憑着憶罷，憑着憶罷，来慰這永永
旁皇於「第三世界」的我。真可呪詛的

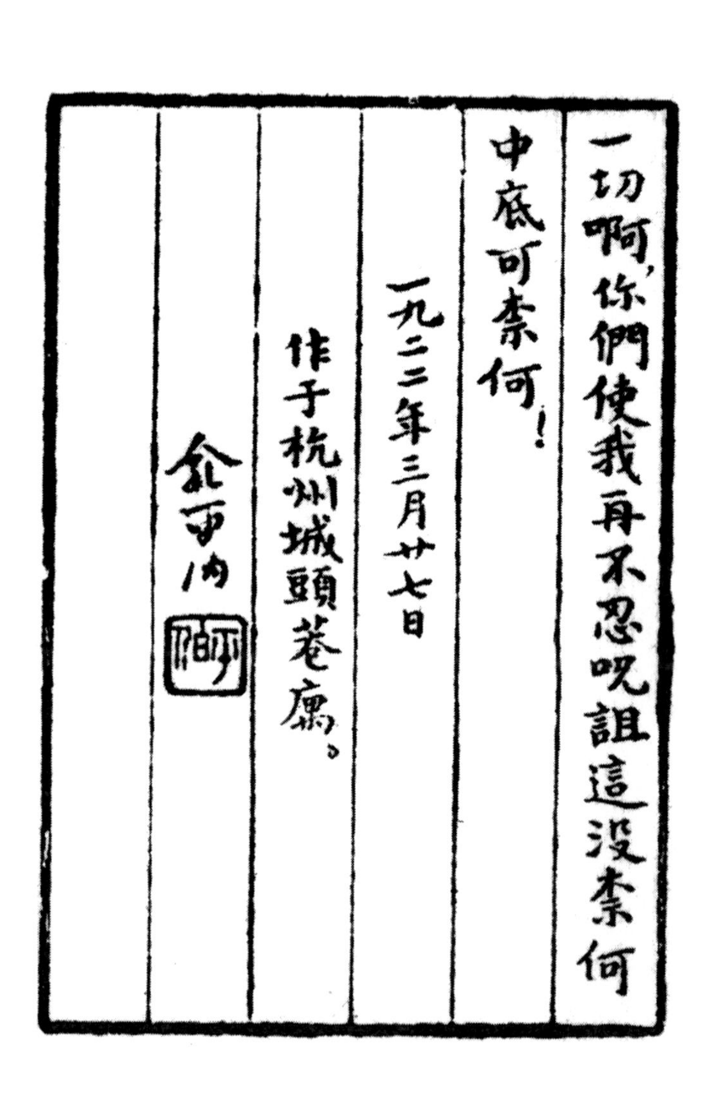
一切啊，你們使我再不忍咒詛這沒柰何中底可柰何！

一九二二年三月廿七日

作于杭州城頭巷廡。

俞平伯

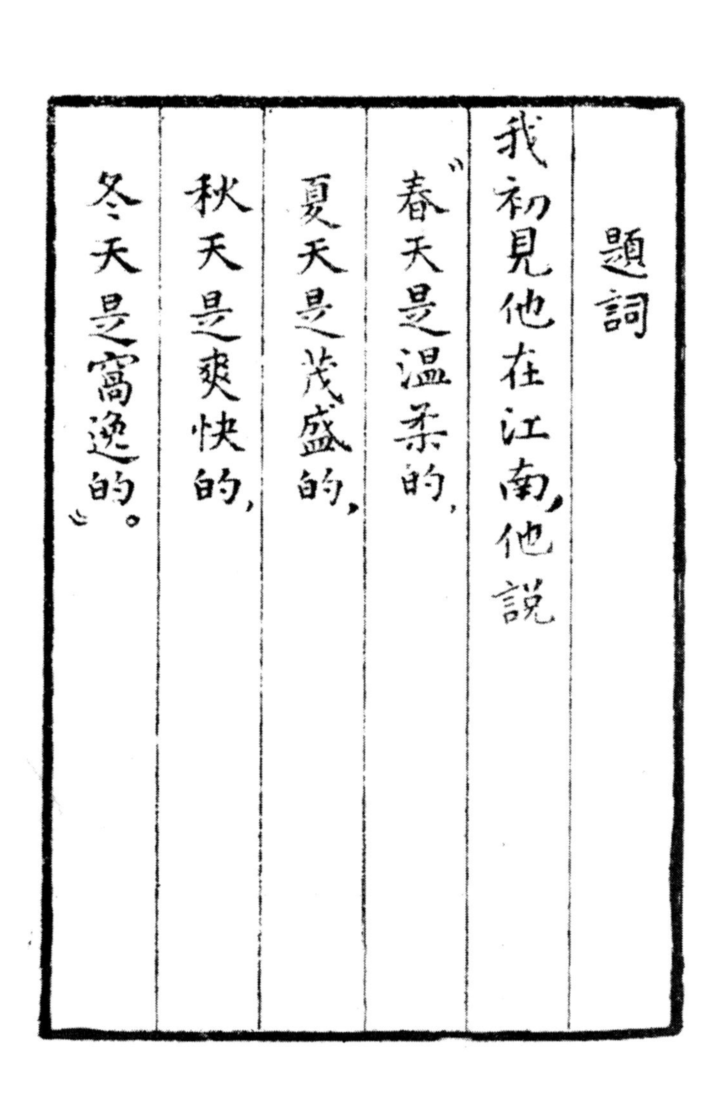

題詞

我初見他在江南，他說

"春天是溫柔的，

夏天是茂盛的，

秋天是爽快的，

冬天是窩逸的。"

我再見他在北京他說
春天是惆悵的，
夏天是煩倦的，
秋天是感傷的，
冬天是嚴肅的。
我想：

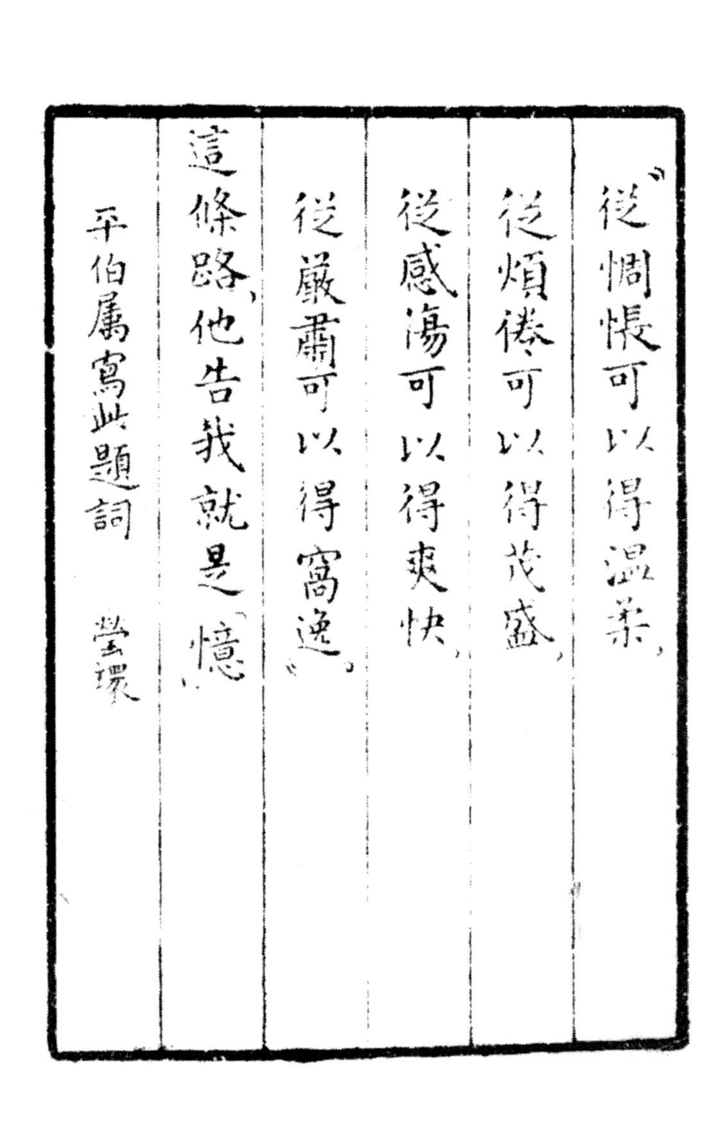

從"惆悵可以得溫柔，

從煩倦可以得茂盛，

從感滲可以得爽快，

從嚴肅可以得寫逸。

這條路，他告我就是「憶」。

平伯屬寫此題詞　瑩環

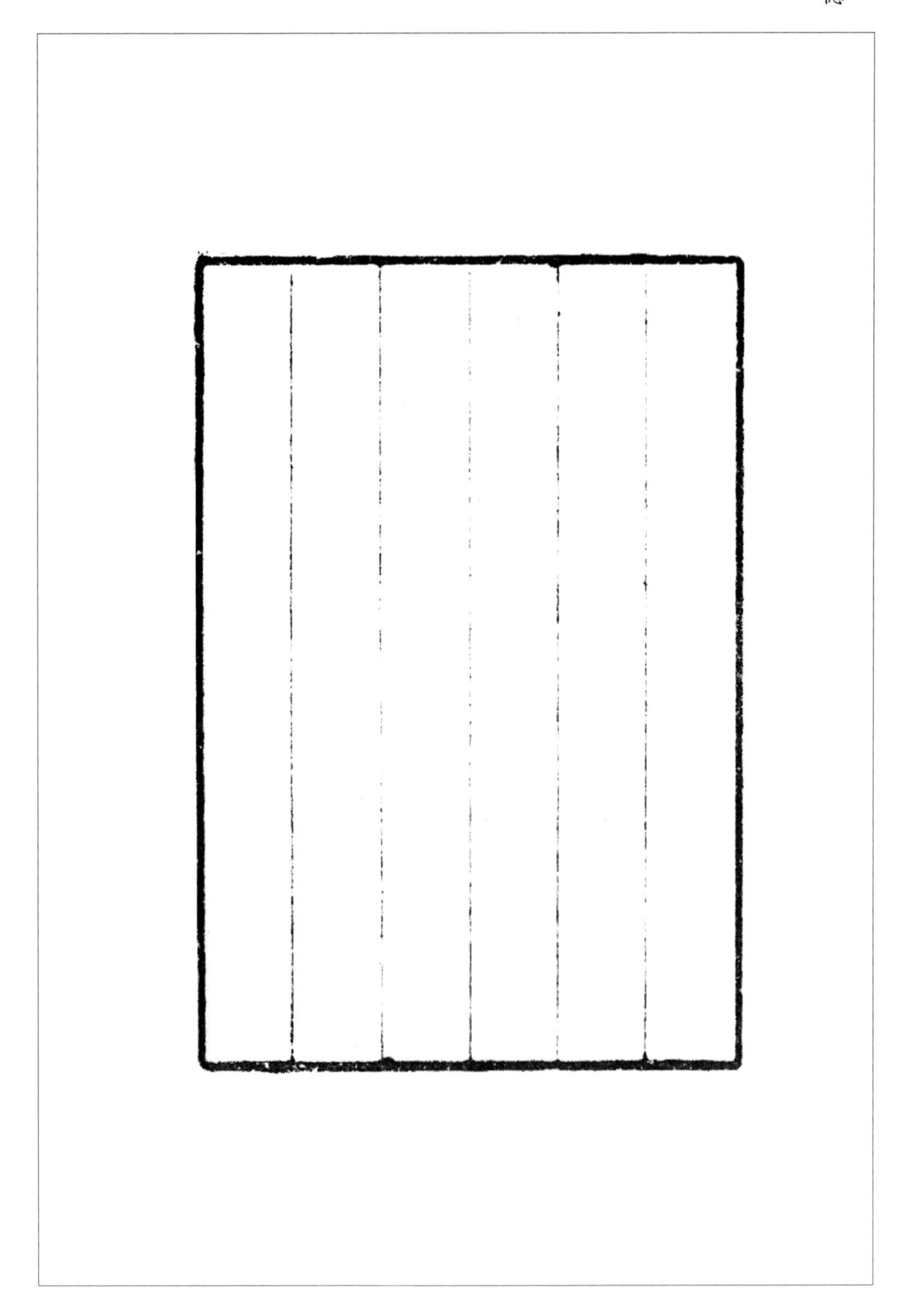

這條路，
他告我，
就是
憶

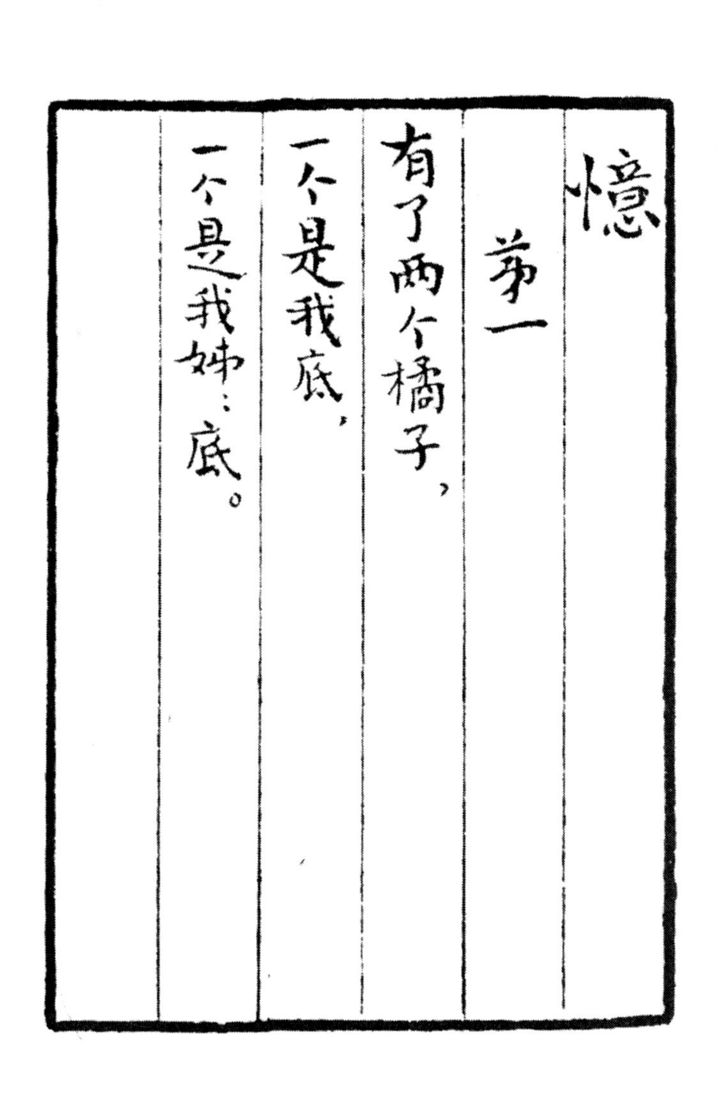

憶

第一

有了兩个橘子，
一个是我底，
一个是我姊姊底。

把有麻子的給了我，
把光臉的她自已有了。

弟〃，你底好，
緖花的呢〃。

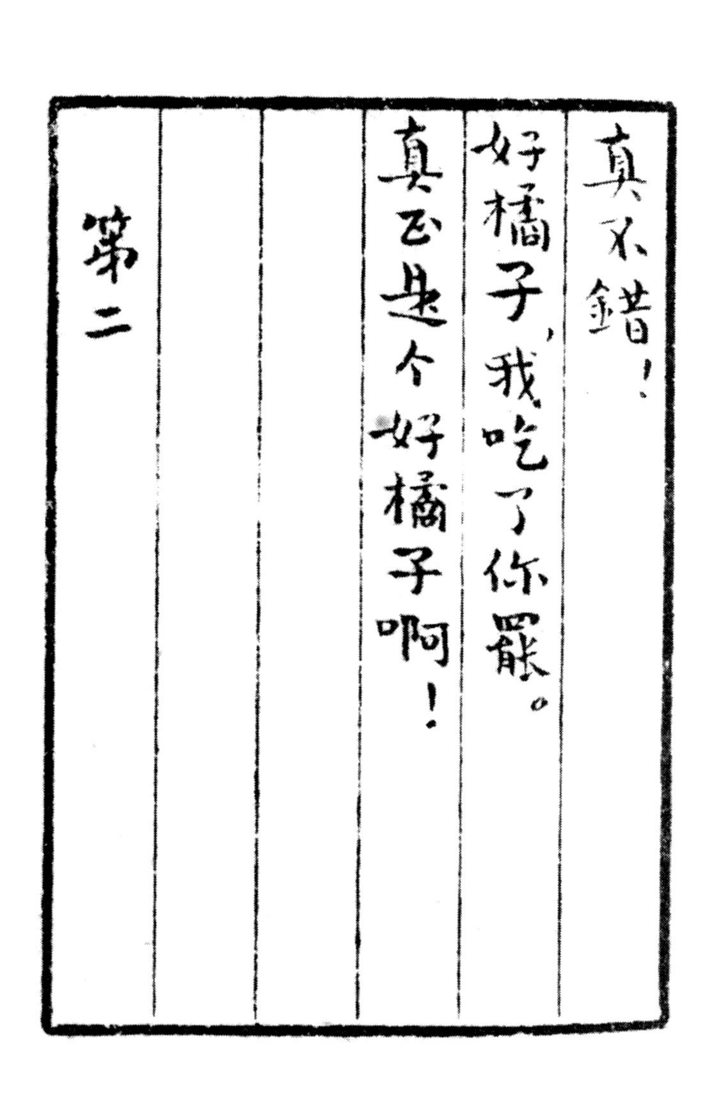

真不錯！

好橘子，我吃了你罷。

真正是个好橘子啊！

第二

隔壁屋有嘈襍的哭聲，
我也蹬着脚去號啕了。

雖是回想上的悲哀，
終久是人間底悲哀喲！

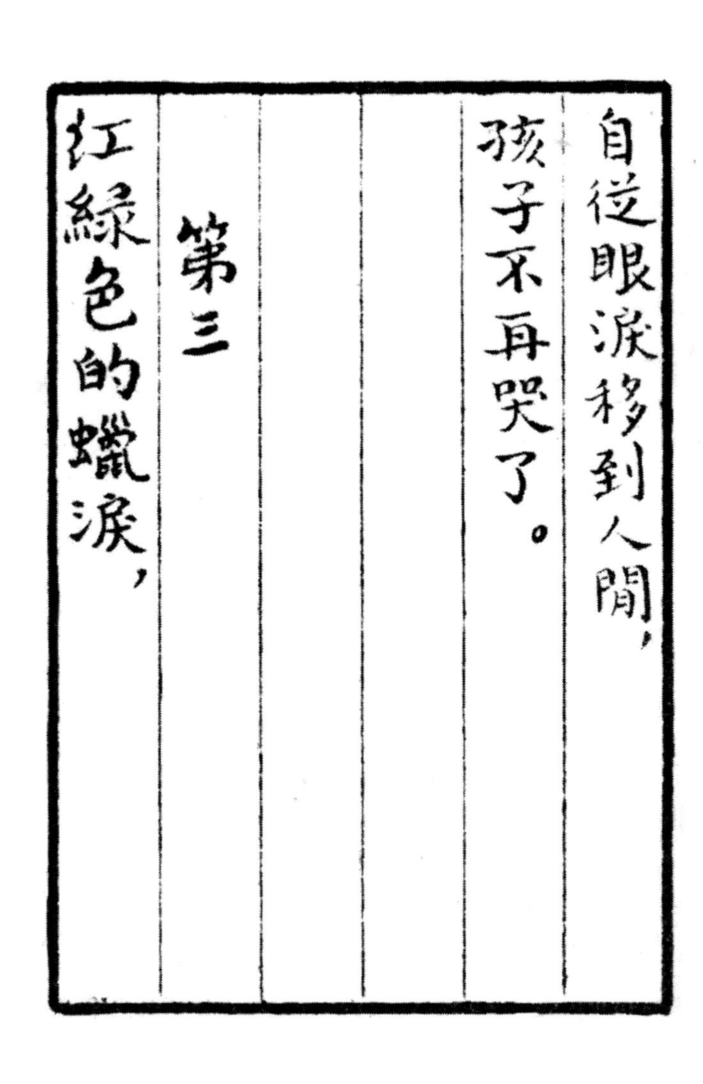

自從眼淚移到人間，
孩子不再哭了。

第三

紅綠色的蠟淚，

我們倆珍藏着，
說是龍王爺宮裏底珠子。

後来，封藏的蠟淚
融成水晶樣了，
人們叫牠們做「淚珠」

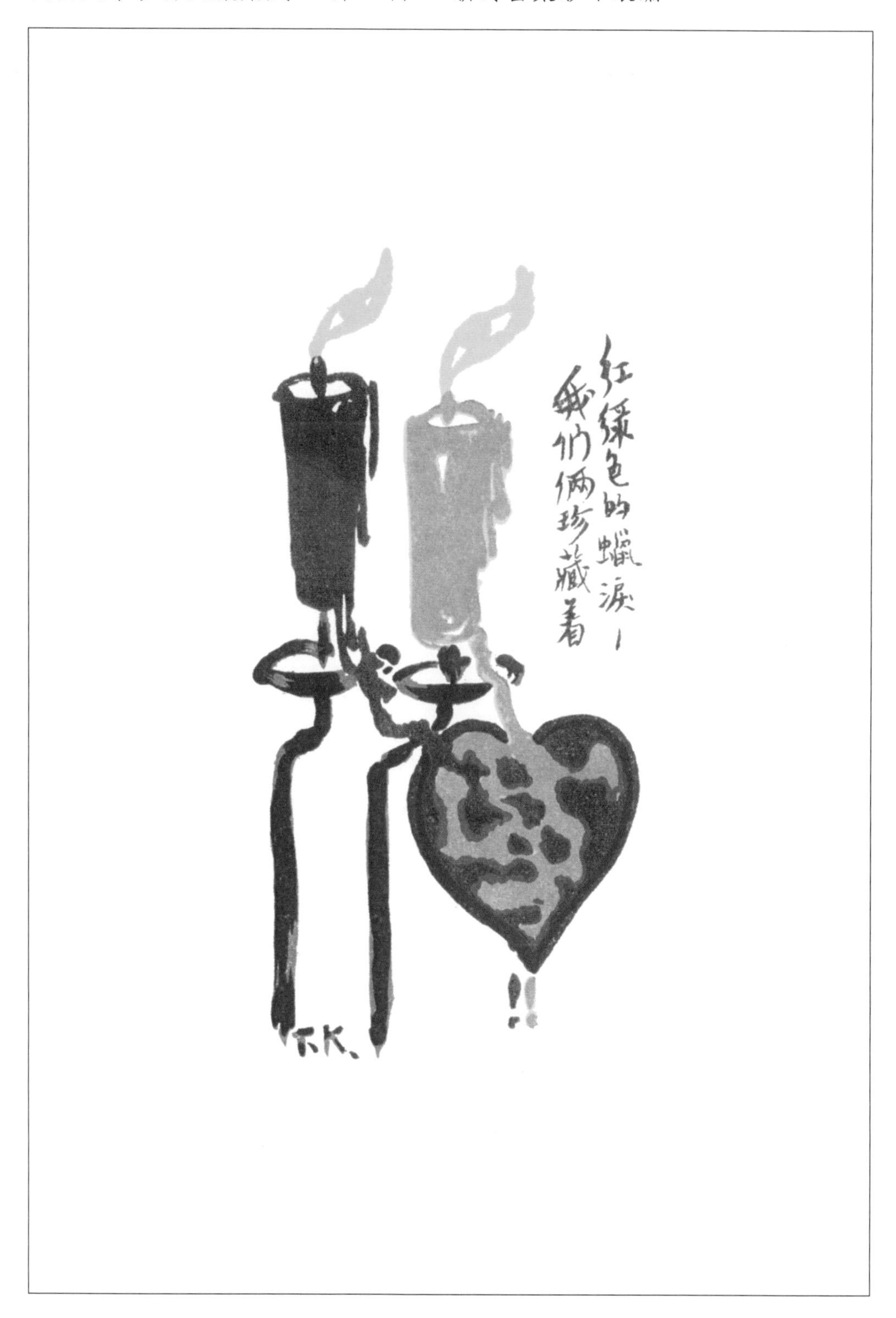
紅綠色的蠟淚！
我們倆珍藏着
!!
T.K.

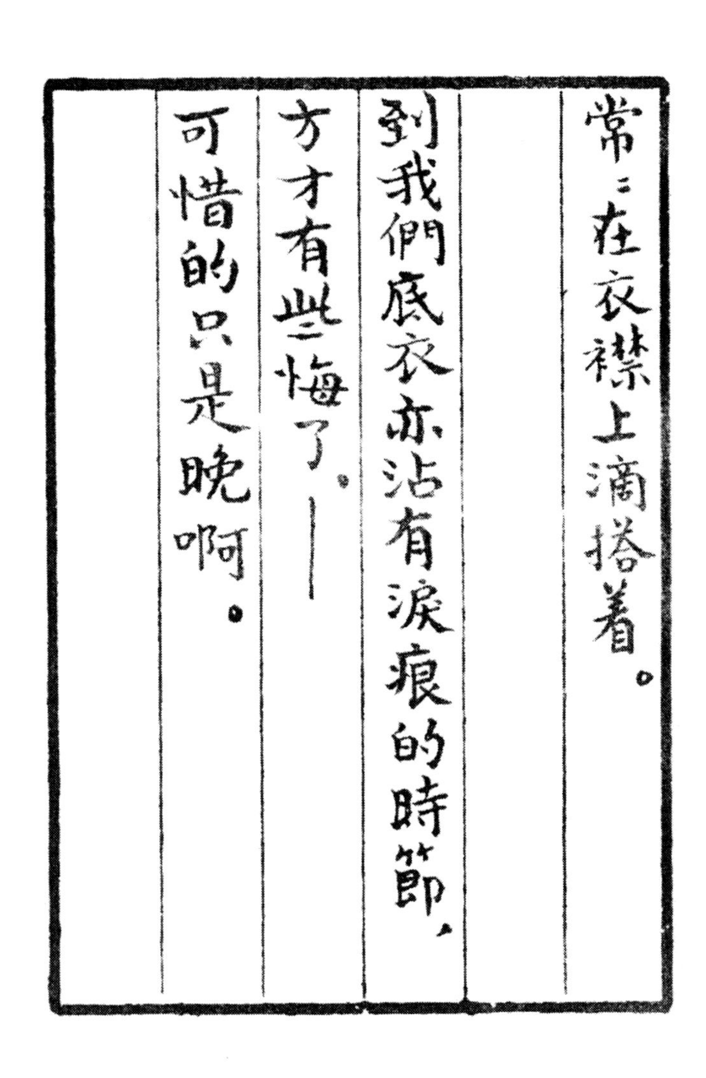
常〻在衣襟上滴搭着。

到我們底衣亦沾有淚痕的時節，
方才有些悔了。——
可惜的只是晚啊。

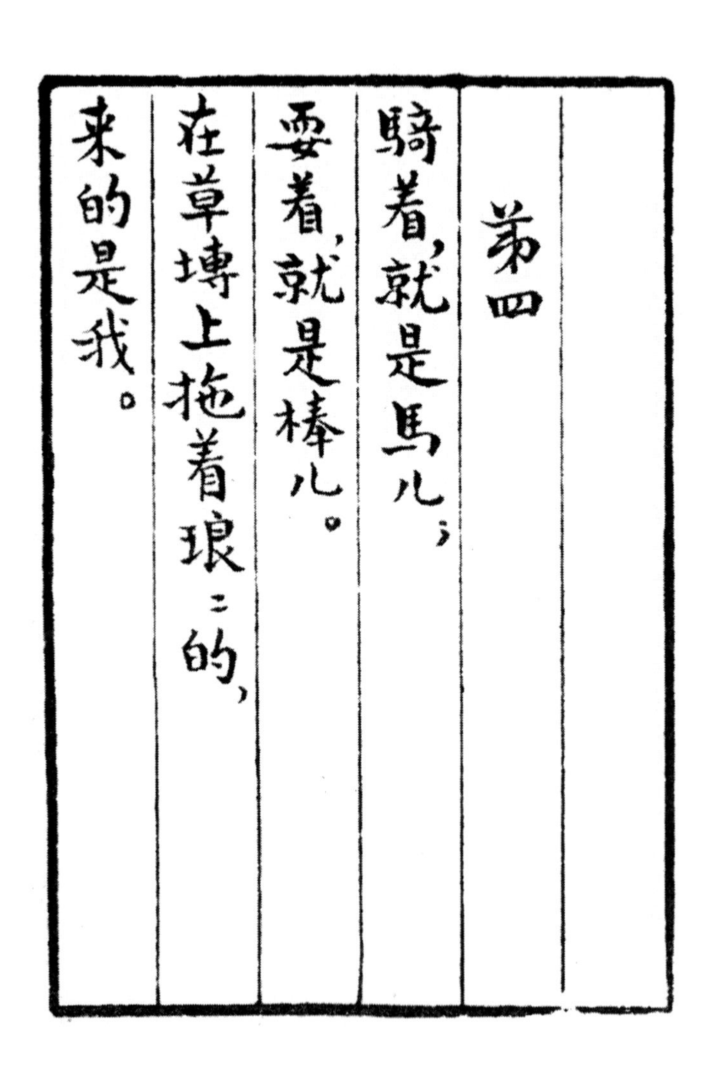

第四

騎着，就是馬儿；

耍着，就是棒儿。

在草塼上拖着琅琅的，

来的是我。

来的是我
T.K.

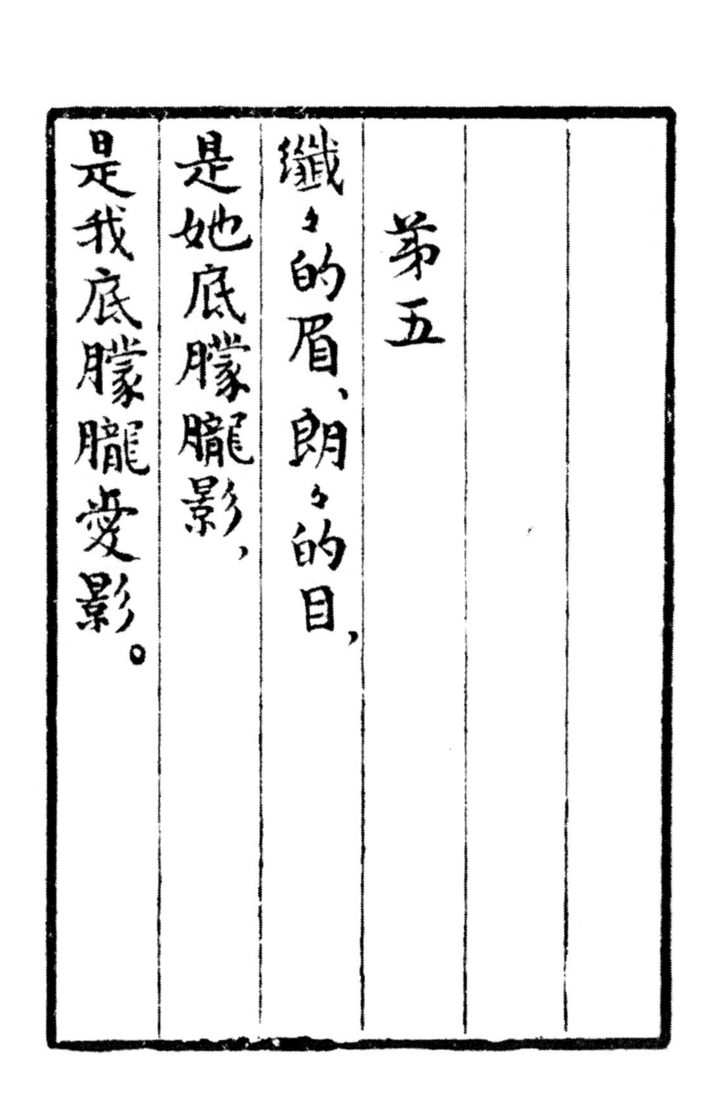

第五

纖纖的眉、朗朗的目，
是她底朦朧影，
是我底朦朧愛影。

第六

黃梧桐，西風裏響得花花。

梧桐子儿飄飄着；

我們可有彈子頑了。

"揀去罷！去！"
黃梧桐下直響得花花。

又容易的黃了，
又容易的響了，
一年一年的又一年了。

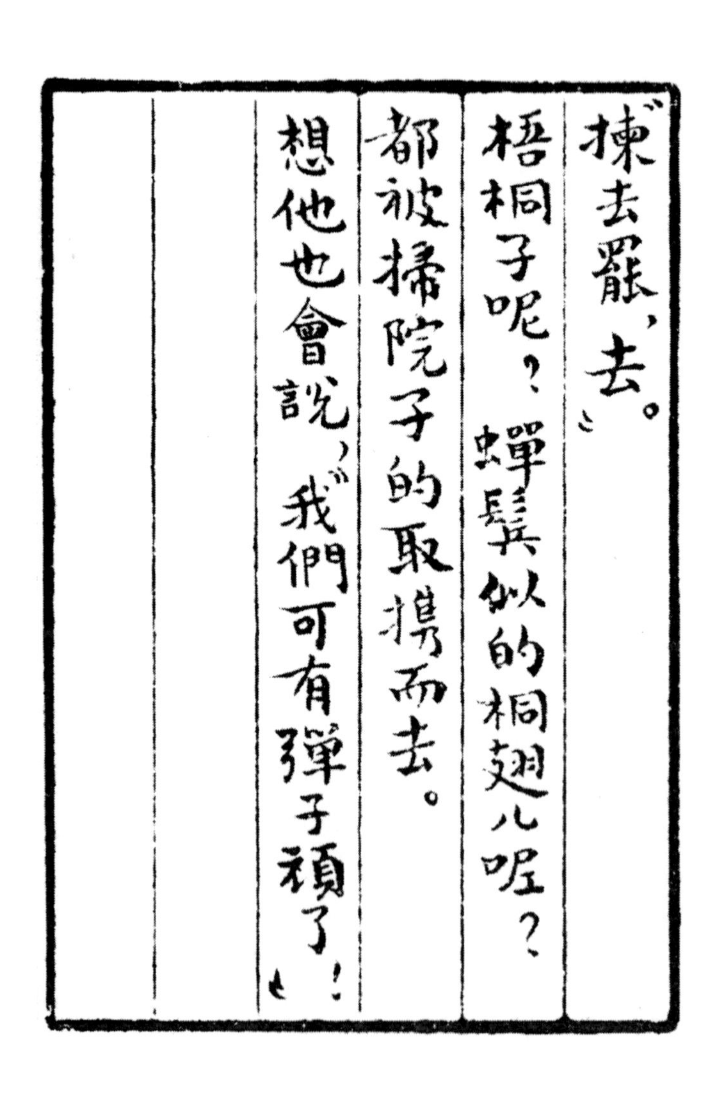

揀去罷，去。

梧桐子呢？蟬鬚似的桐翅儿呢？

都被掃院子的取携而去。

想他也會說，我們可有彈子積了！

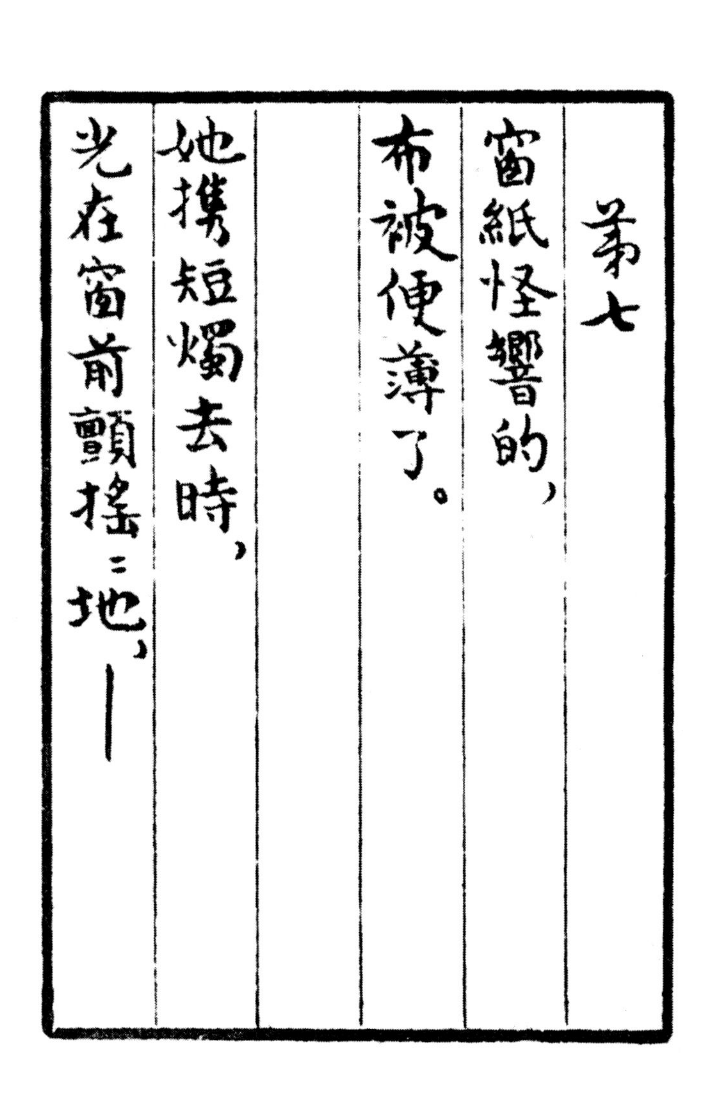

第七

窗紙怪響的，
布被便薄了。

她携短燭去時，
光在窗前顫搖搖地，——

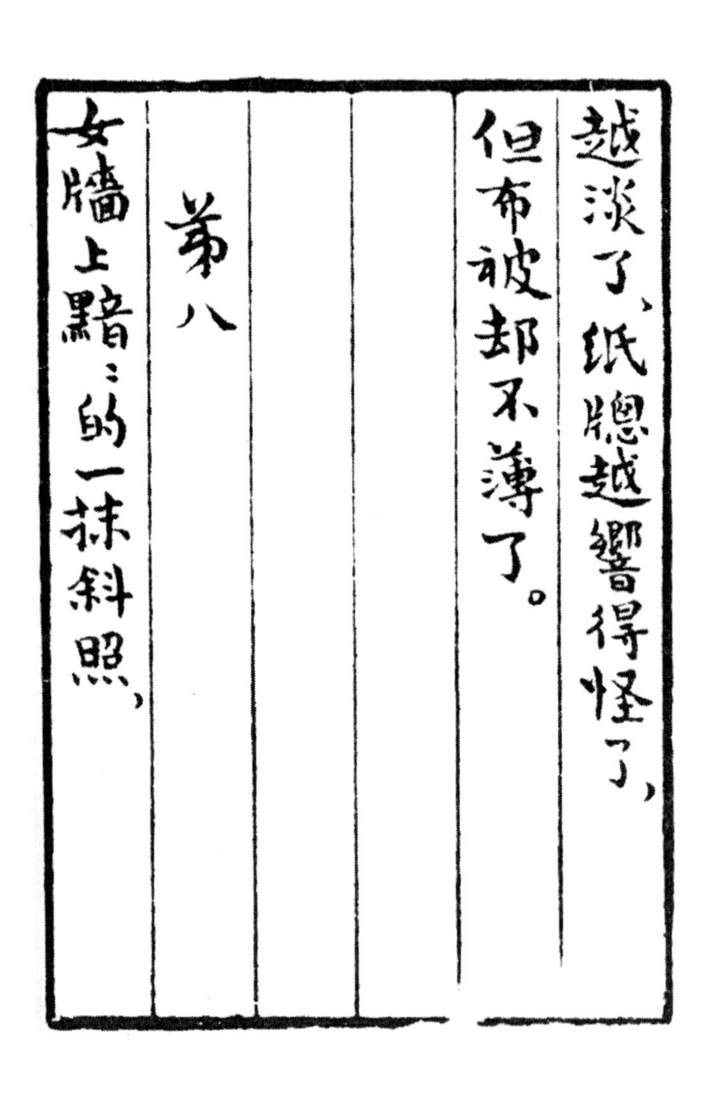
越淡了，紙總越響得怪了，
但布被却不薄了。

第八

女牆上黯黯的一抹斜照，

女墻上點點的一抹
斜陽，人在城外了。
T.K.

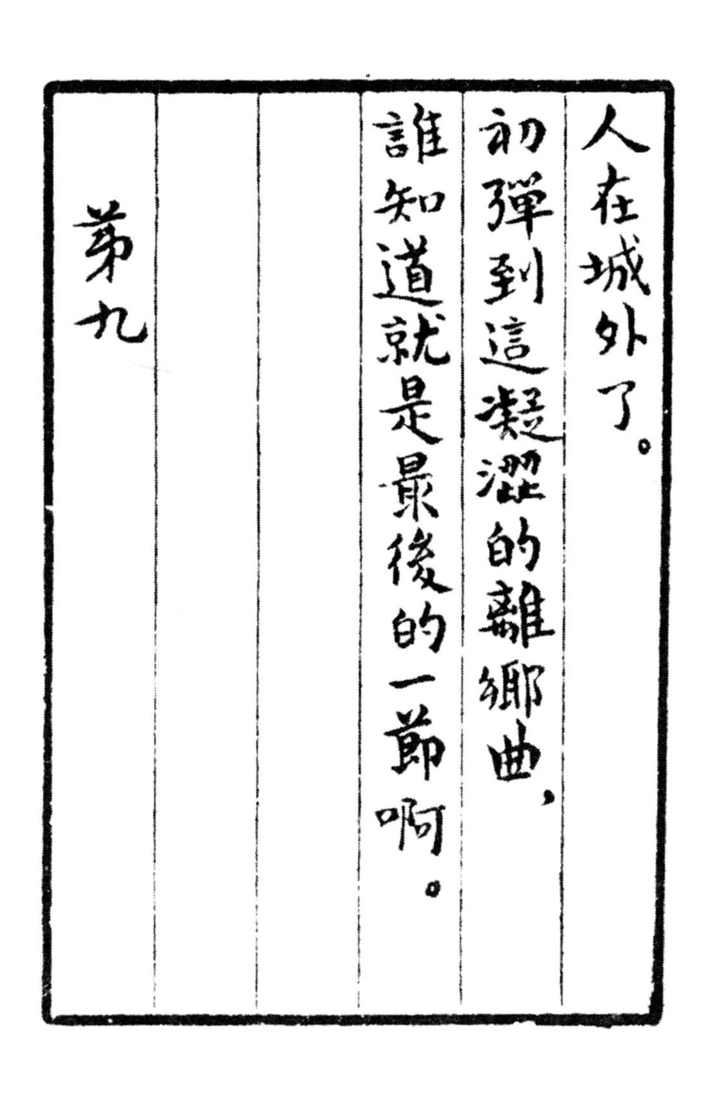

人在城外了。
初彈到這凝澀的離鄉曲，
誰知道就是最後的一節啊。

第九

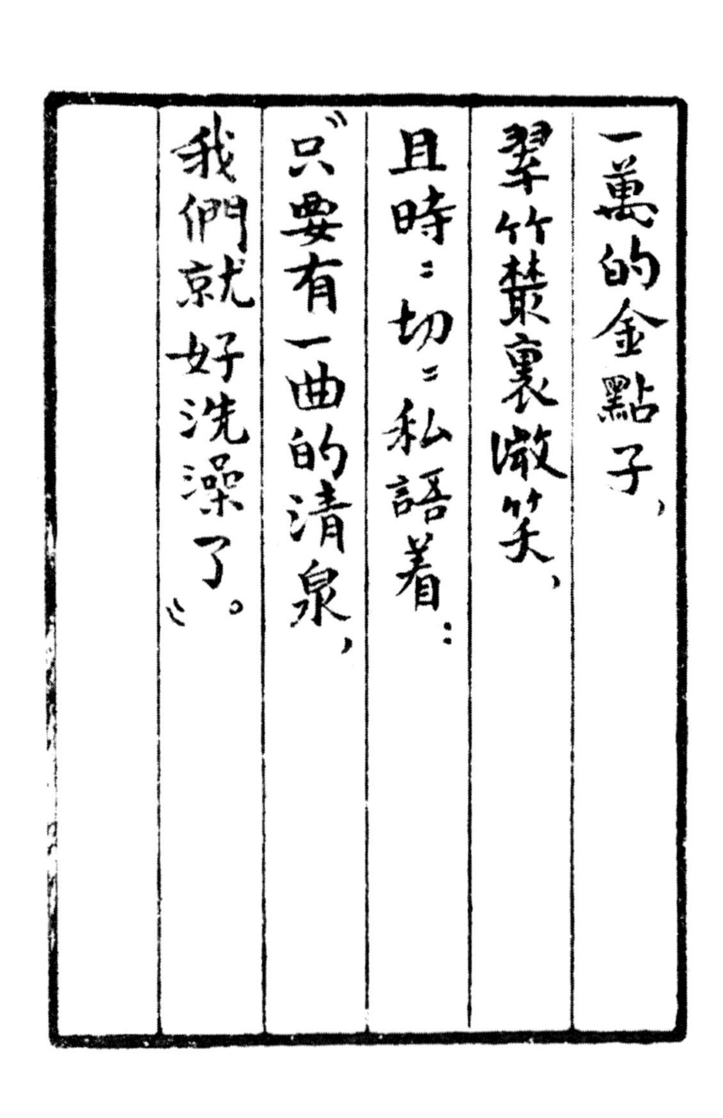

一萬的金點子，
翠竹叢裏微笑，
且時時切切私語着：
"只要有一曲的清泉，
我們就好洗澡了。"

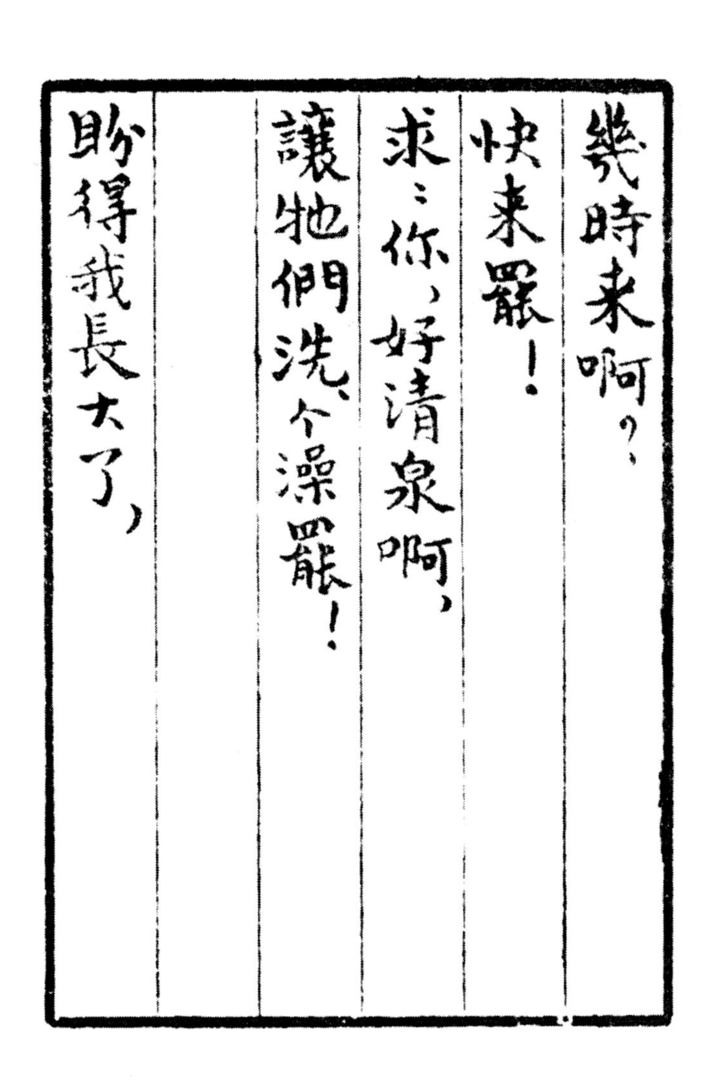

幾時来啊？、
快来罷！
求〻你，好清泉啊，
讓牠們洗、个澡罷！

盼得我長大了，

清泉老是不肯来。

我却想〻地北京去。

不知誰說的？、

竹子歪斜得很，

斫去了罷。

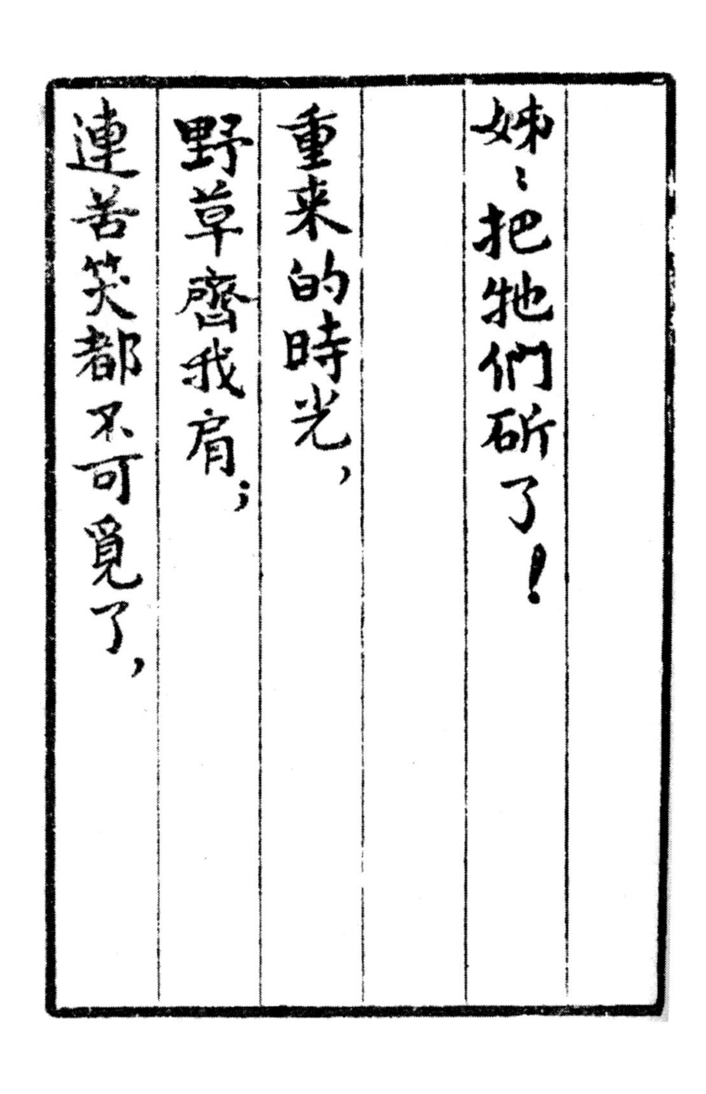

姊姊把牠們斫了！

重来的時光，

野草齊我肩；

連苦笑都不可覓了，

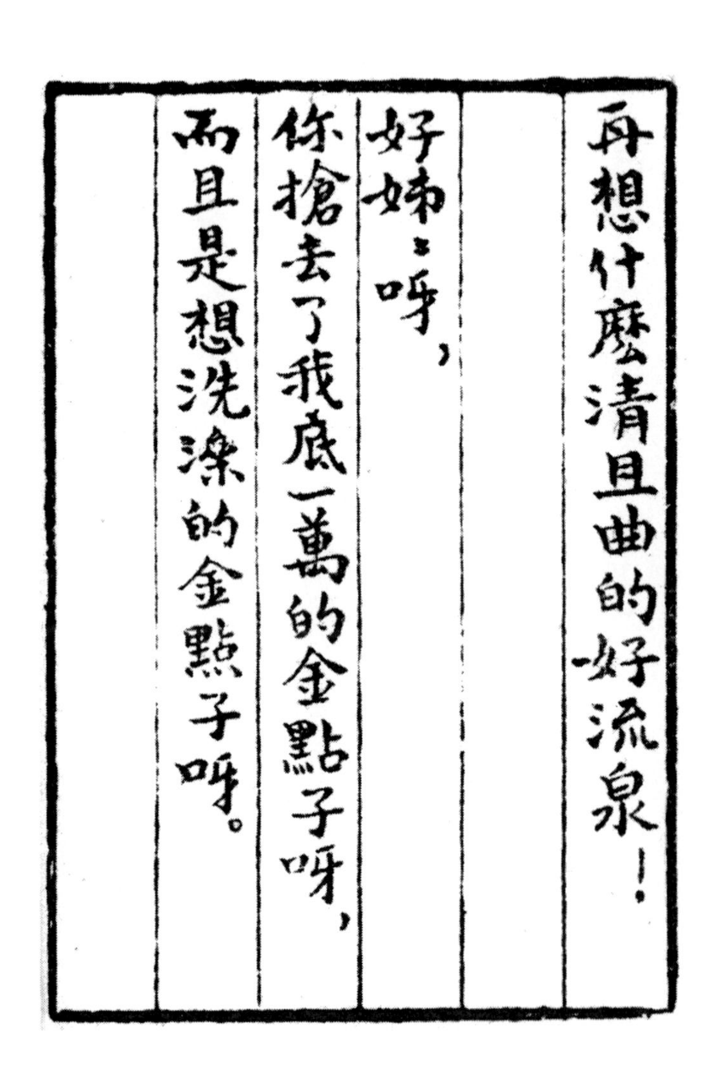
再想什麼清且曲的好流泉！

好姊姊呀，
你搶去了我底一萬的金點子呀，
而且是想洗滌的金點子呀。

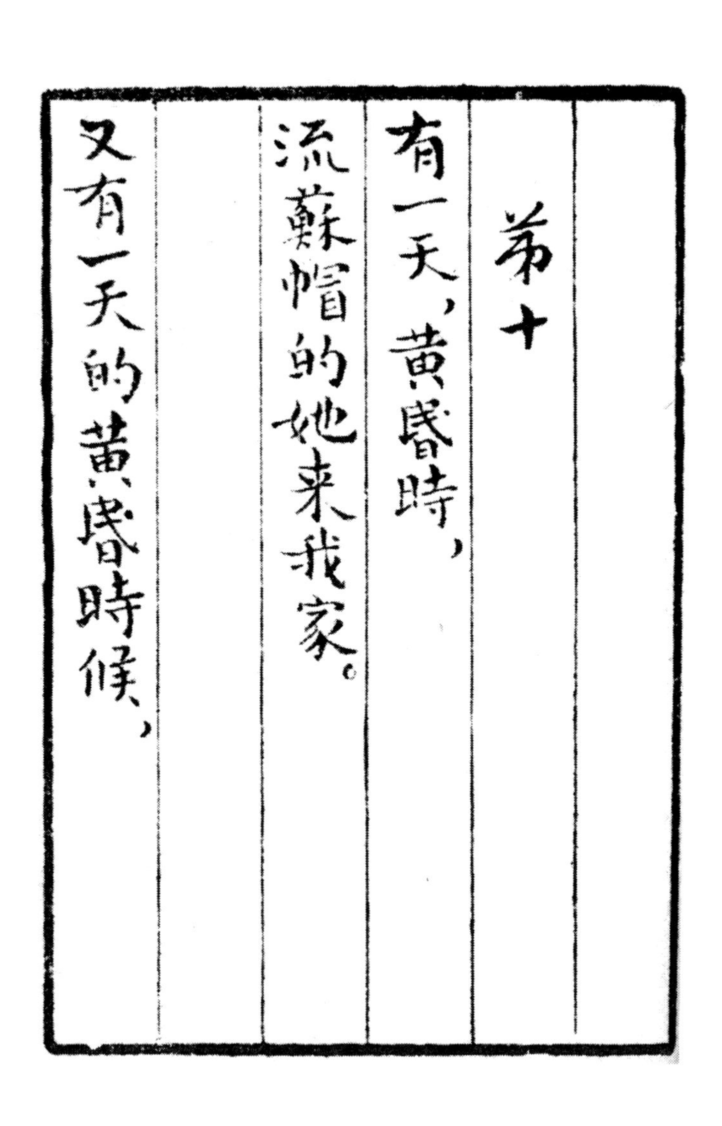

第十

有一天，黃昏時，
流蘇帽的她來我家。
又有一天的黃昏時候，

她却帶着新嫁娘的面紗来了。

是她嗎？是的。——

只是我怎不相信呢？

紅燭下靚妝的她明明和我傍着，

有一天，
黃昏時，
流蘇帽的
她来我家.
T. K.

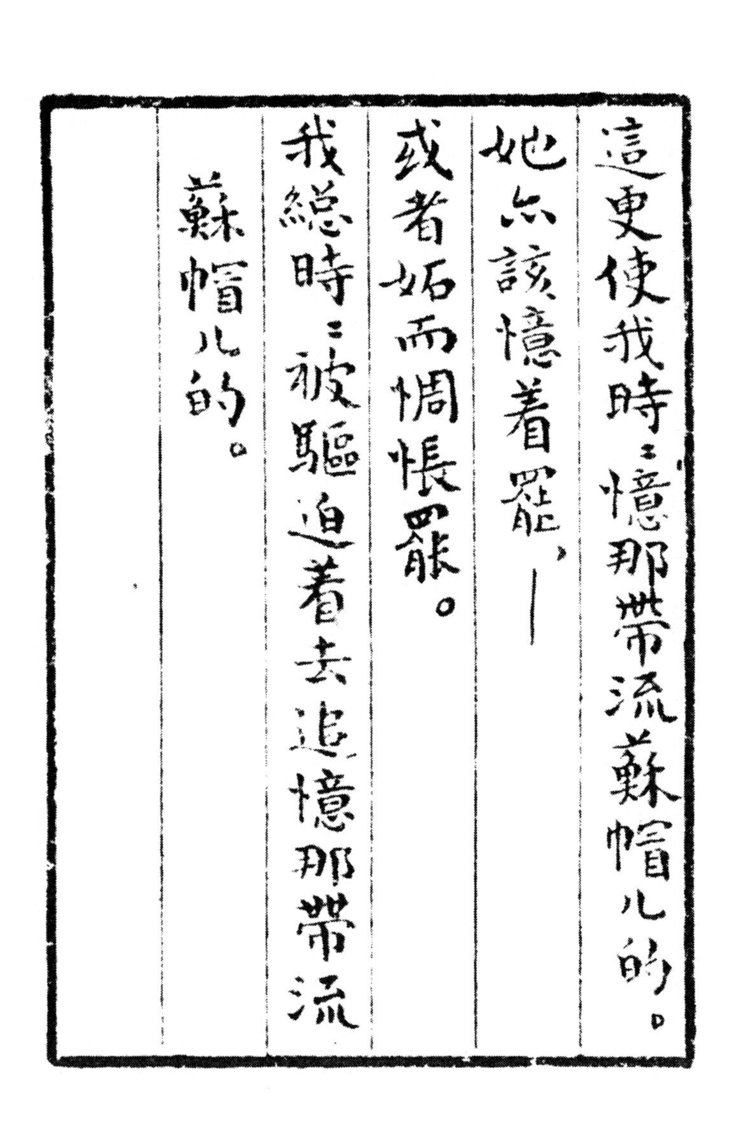
這更使我時時憶那帶流蘇帽兒的。
她也該憶着罷，——
或者妬而惆悵罷。
我總時時被驅迫着去追憶那帶流蘇帽兒的。

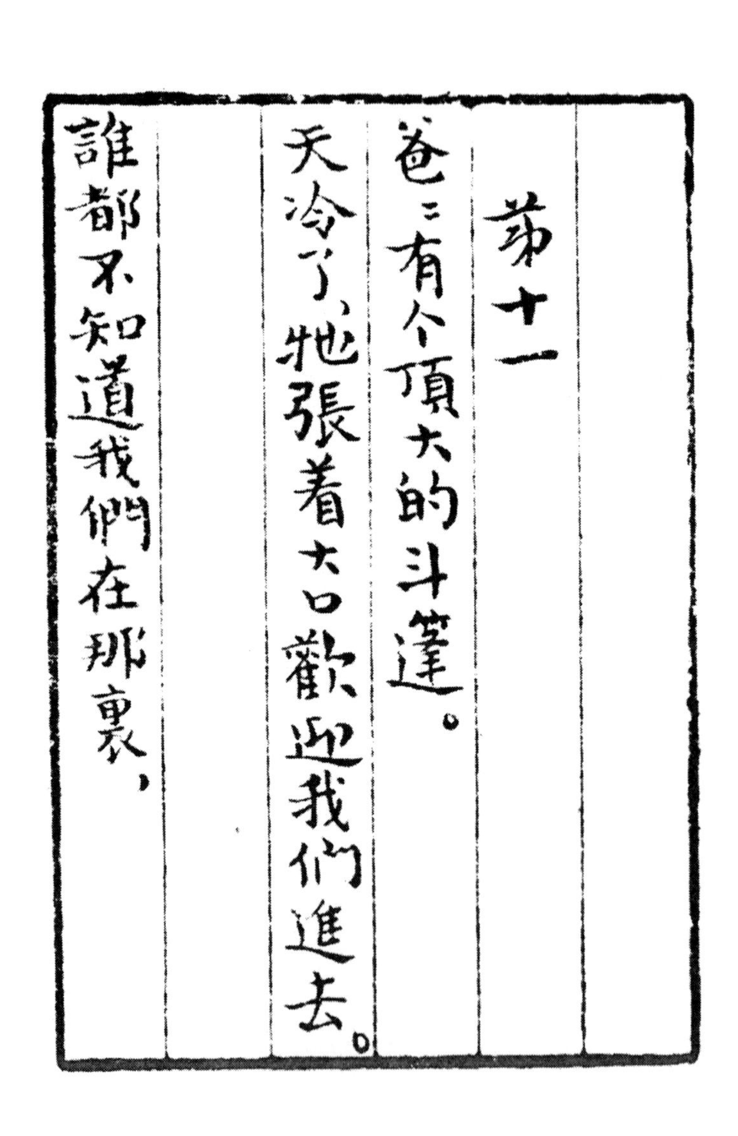

第十一

爸爸有个頂大的斗篷。

天冷了，牠張着大口歡迎我們進去。

誰都不知道我們在那裏，

爸々真々好，怎樣會有了
這個又暖又
大的斗
篷呢？
TK

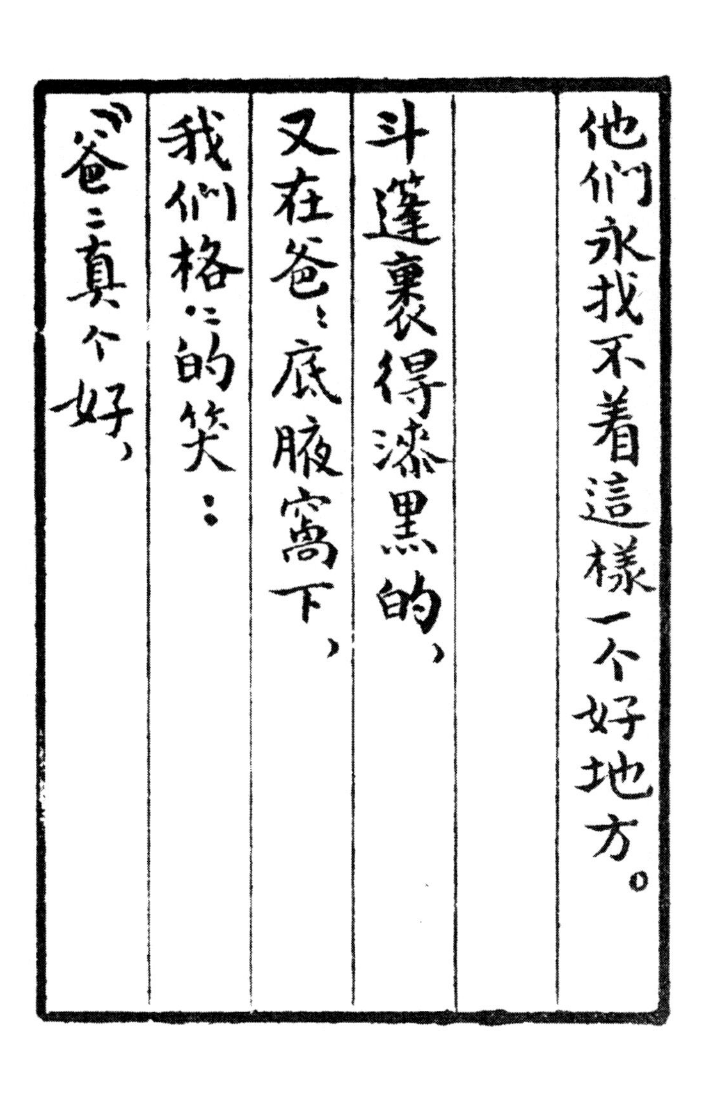

他們永我不着這樣一个好地方。

斗篷裏得漆黑的、
又在爸〻底腋窩下、
我們格〻的笑：
〝爸〻真个好、

「怎麼會有了這个又暖又大的斗蓬呢？」

第十二

「来了！」

「快擦擦門！門……」

雖然，一扇門後頭分明地
有孩孩子底脚！
T.K.

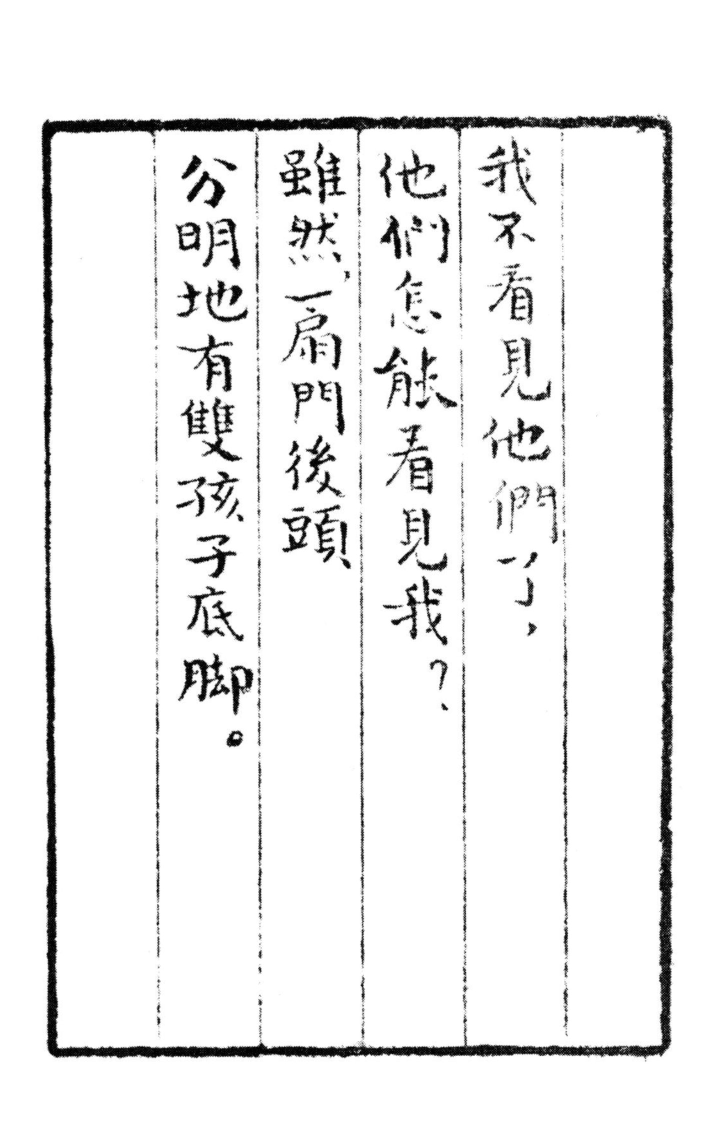
我不看見他們了，
他們怎能看見我？
雖然，一扇門後頭
分明地有雙孩子底脚。

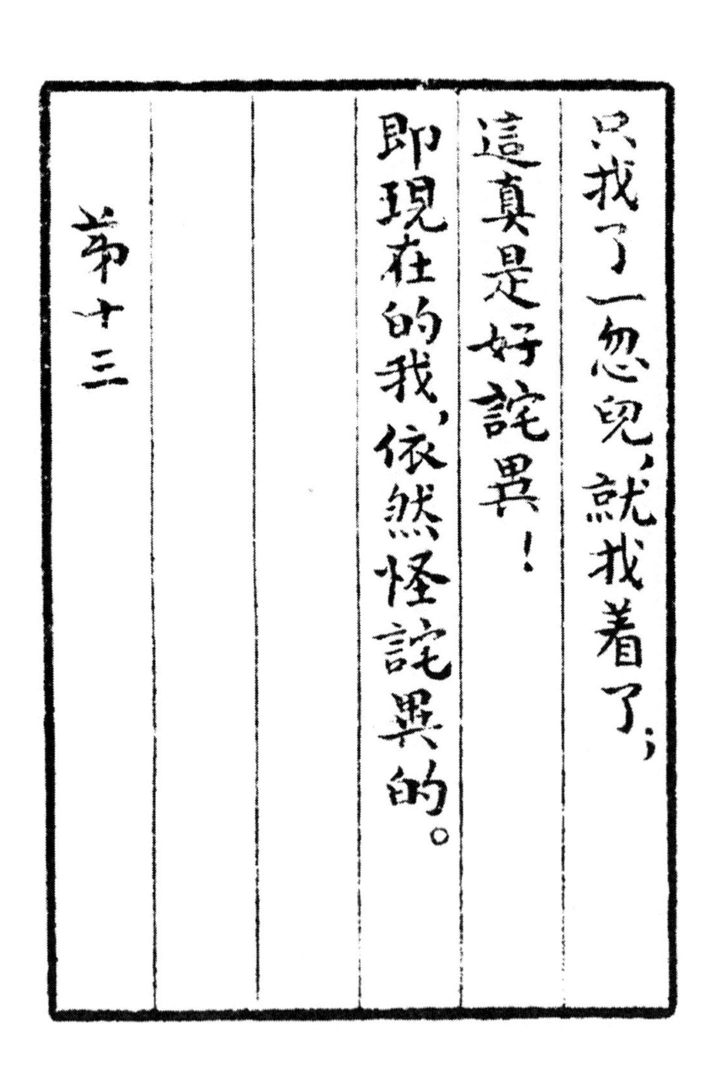
只我了一忽兒，就我着了；
這真是好詫異！
即現在的我，依然怪詫異的。

第十三

隔院有彈批霞那的，
T.K.

隔院有彈「批霞那」的，
我回之而遠了。

丁東間斷時，我心歸来了；
依舊的靜寞裏，
添些肥的琴聲裏的影子

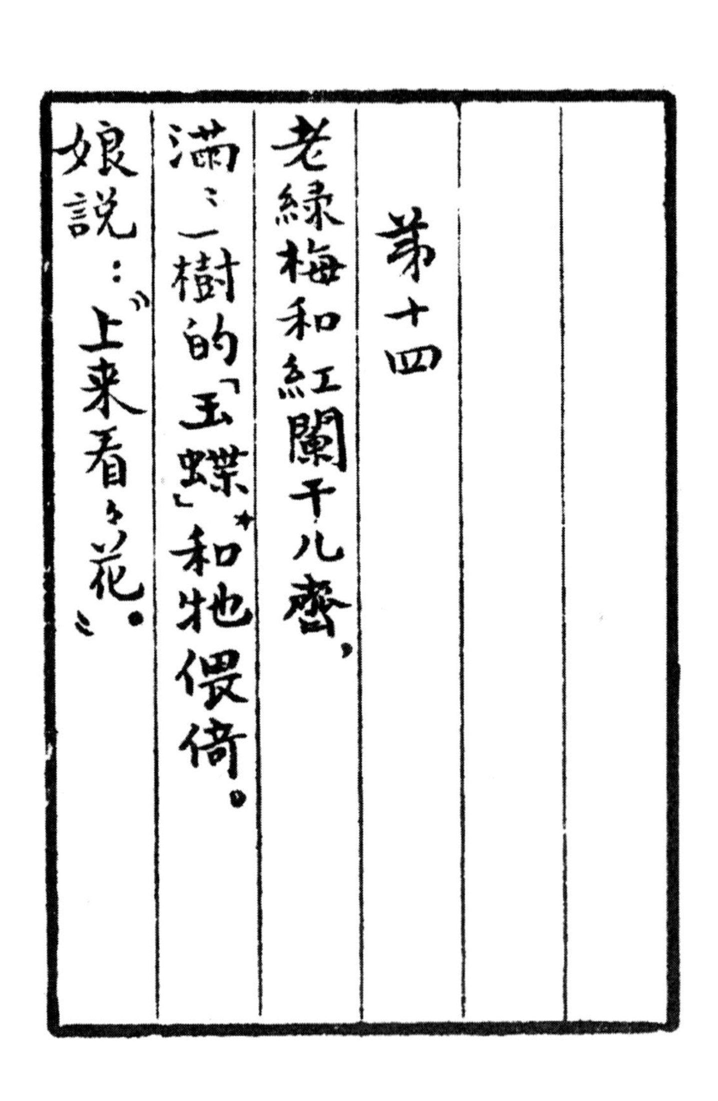

第十四

老綠梅和紅闌干几齊，
滿々一樹的「玉蝶」和牠偎倚。
娘說："上来看々花。"

T.K.
老綠梅和紅楠下

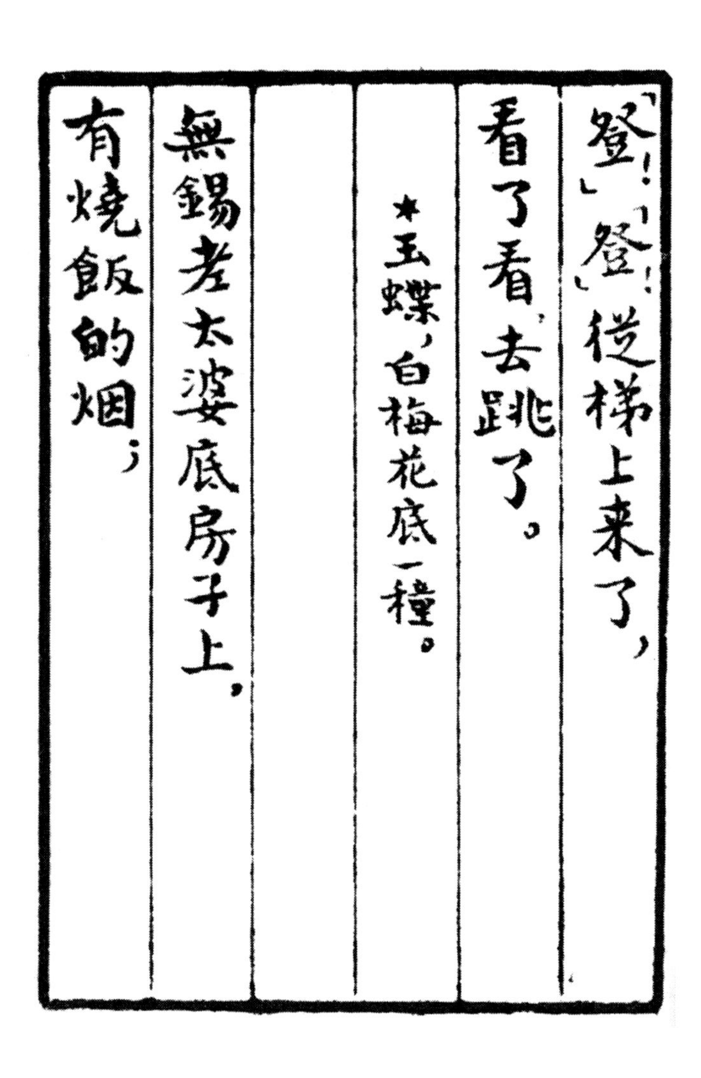

「登！」「登！」從梯上来了，

看了看，去跳了。

*玉蝶，白梅花底一種。

無錫老太婆底房子上，

有燒飯的烟；

隔壁樓窗裏的女人，
停了她底針線。
蜂蝶們倦了，不在花間；
孩子們倦了，不在花前；
家家都有燒飯的烟。

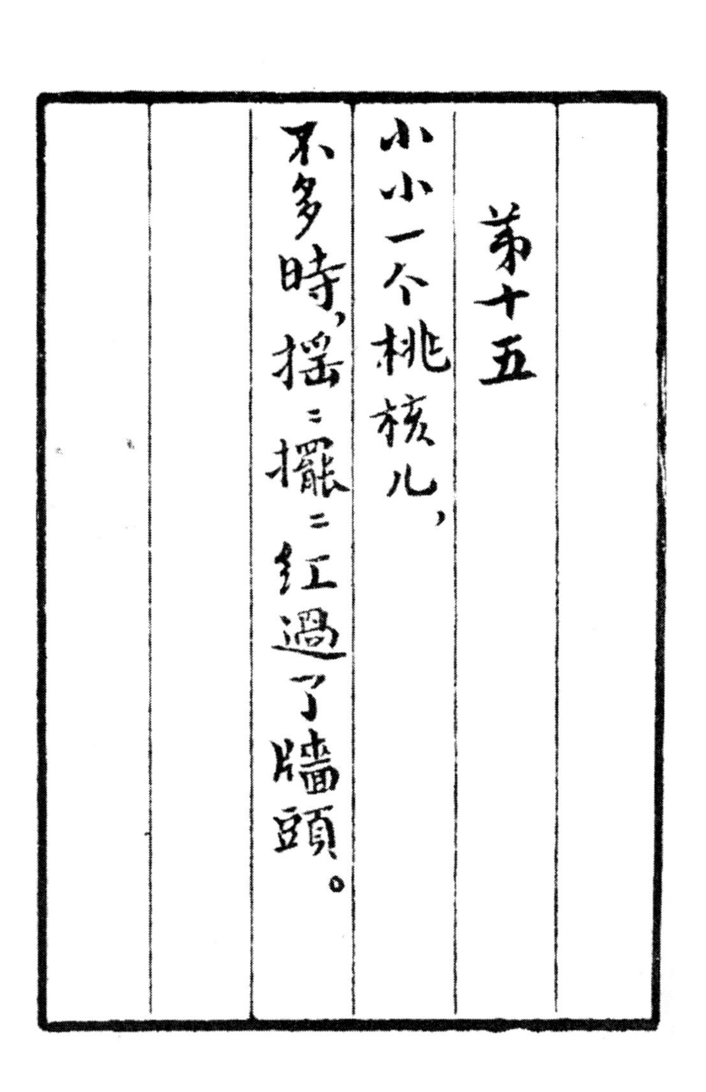

第十五

小小一个桃核儿，
不多時，搖搖擺擺紅過了牆頭。

第十六

有一年，曲池中種紅藕。

「會開荷花的。」

從紅藕下了泥，

荷花沒搖曳牠底粉紅衣；

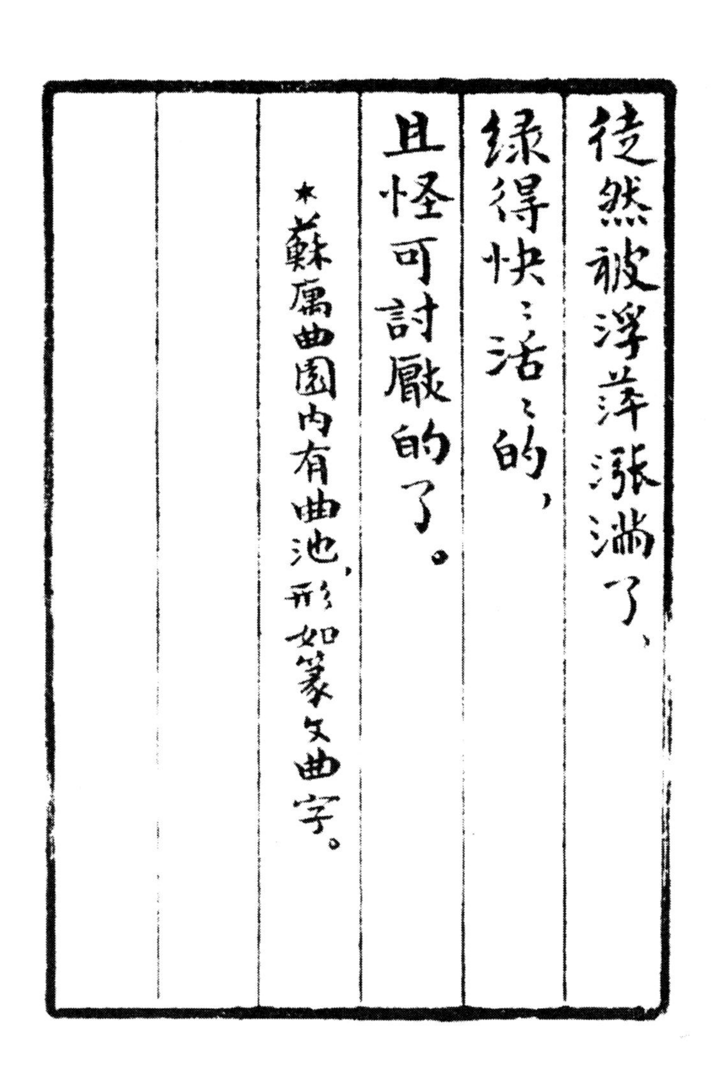
徒然被浮萍漲滿了、
綠得快快活活的，
且怪可討厭的了。

*蘇寓曲園內有曲池，形如篆文曲字。

第十七

離家的燕子，
在初夏一个薄晚上，
隨輕寒的風色，
嬾嬾的飛向北方海濱来了。

老向風塵間，
這樣的，蓊啊！蓊啊！
T.K.

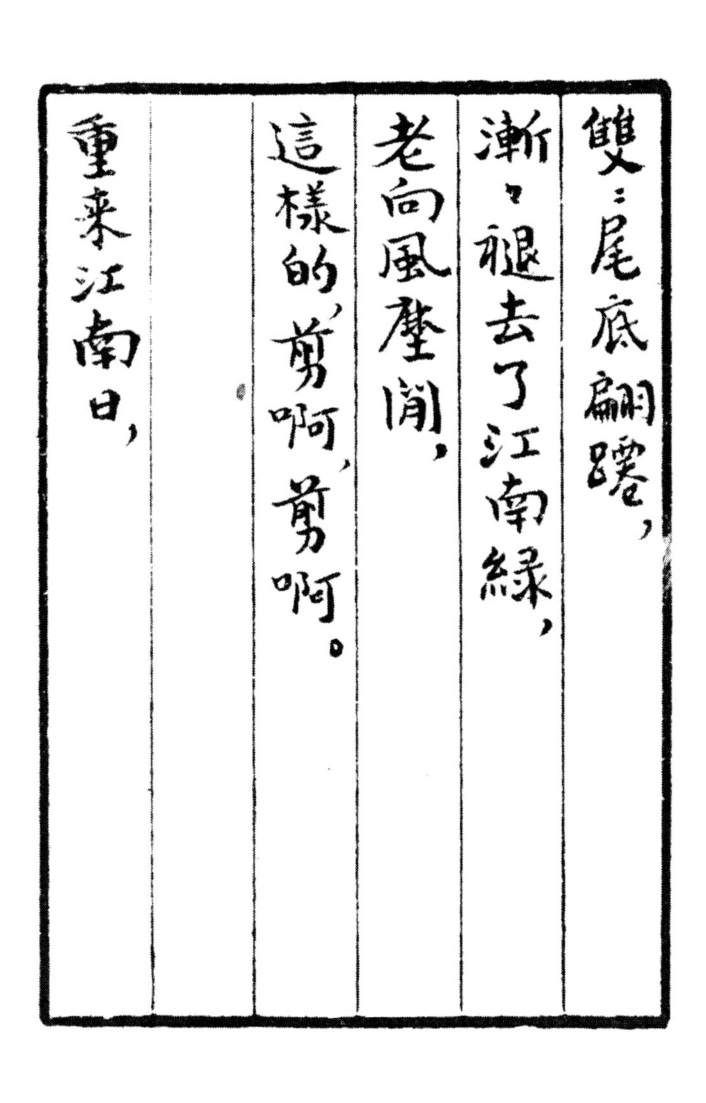
雙雙尾底翩躚，
漸漸褪去了江南綠，
老向風壁閒，
這樣的，勇啊，勇啊。

重來江南日，

可憐只有脚上的塵土和牠同来了，
還是這樣的，剪啊，剪啊。

第十八

庭前，比我高不多的櫻桃樹，

黃時，鳥聲啾喳着；
紅時，只賸了些大半顆，小半顆了。

我們惜櫻桃底殘，
又妬小鳥們底來食，
所以，把大半顆，小半顆的紅櫻珠，

搶着咽了。

第十九

朝陽在蘇州河上朦朧着，
有霧哩。

我不認識那裏是，
船家嚷嚷，上海到啦！〻
車馬，高大的房子，人，塵土……
為什麼都這樣的紛紛揚揚？
都這樣的嘈嘈襍襍？

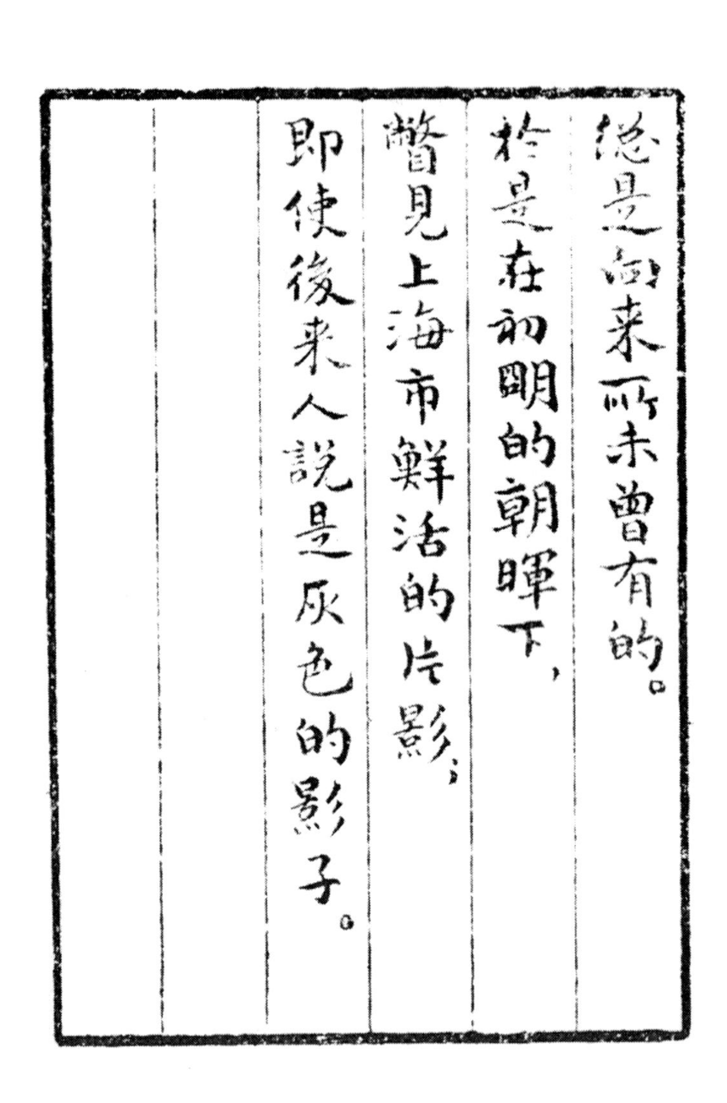

總是向來所未曾有的。
於是在初明的朝暉下，
瞥見上海市鮮活的片影；
即使後來人說是灰色的影子。

桂花白糖粥
T.K.

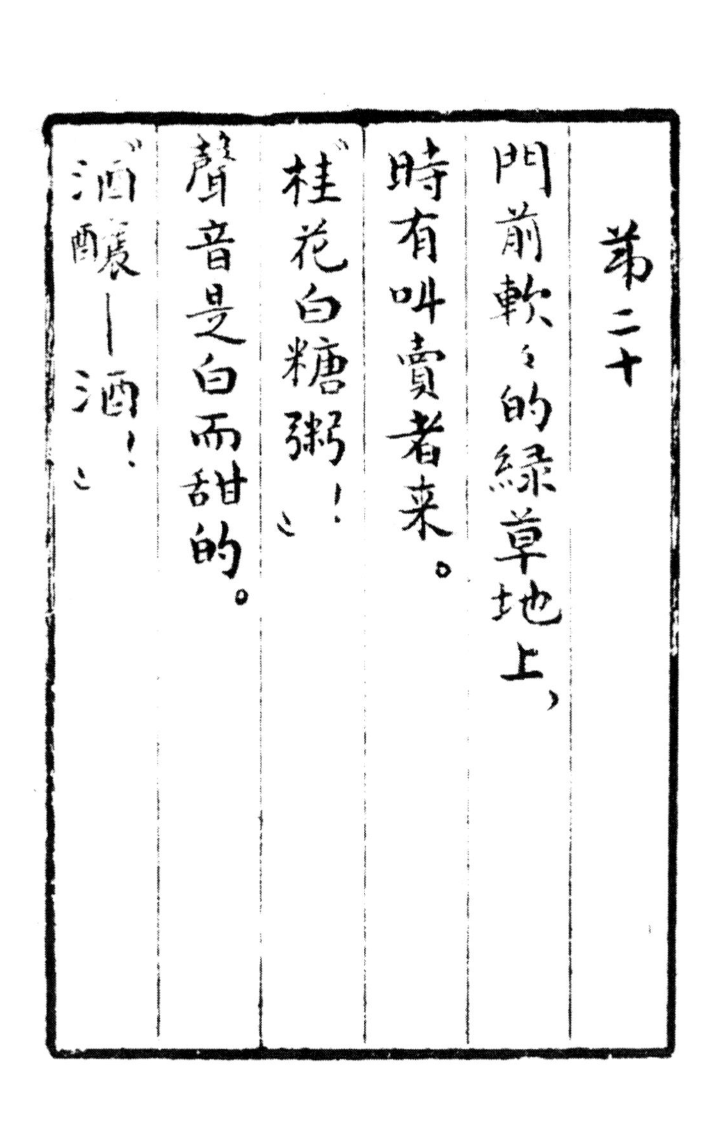

第二十

門前軟軟的綠草地上，
時有叫賣者來。
"桂花白糖粥！"
聲音是白而甜的。
"酒釀——酒！"

聲音是微酸而澀的。
我們一聽便知道了，
這本太分明了。

如空跑到草地上，
没有錢去買来吃；

他們會踅到隔巷中去吆喚，不理
我們的。
糖粥担儿上敲着："閣！……！……！"
又慢，又軟，又沙的是：
"酒釀——酒——"

以上諸篇一九二三年六月前在杭州作

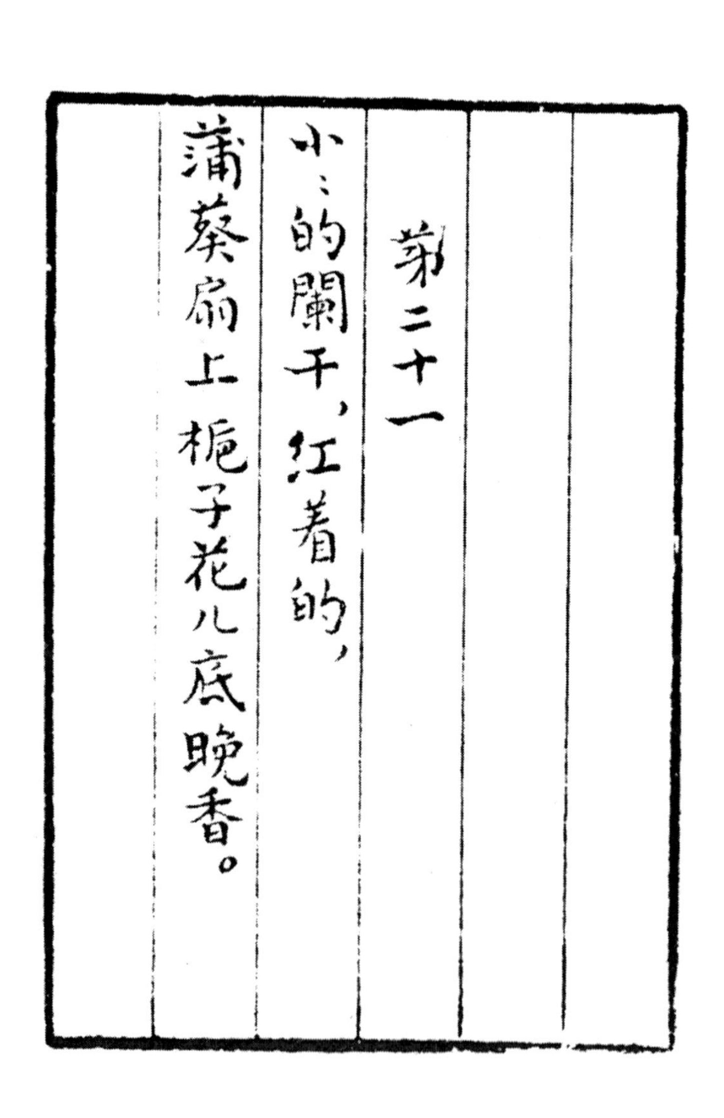

第二十一

小〻的闌干，紅着的，

蒲葵扇上梔子花兒底晚香。

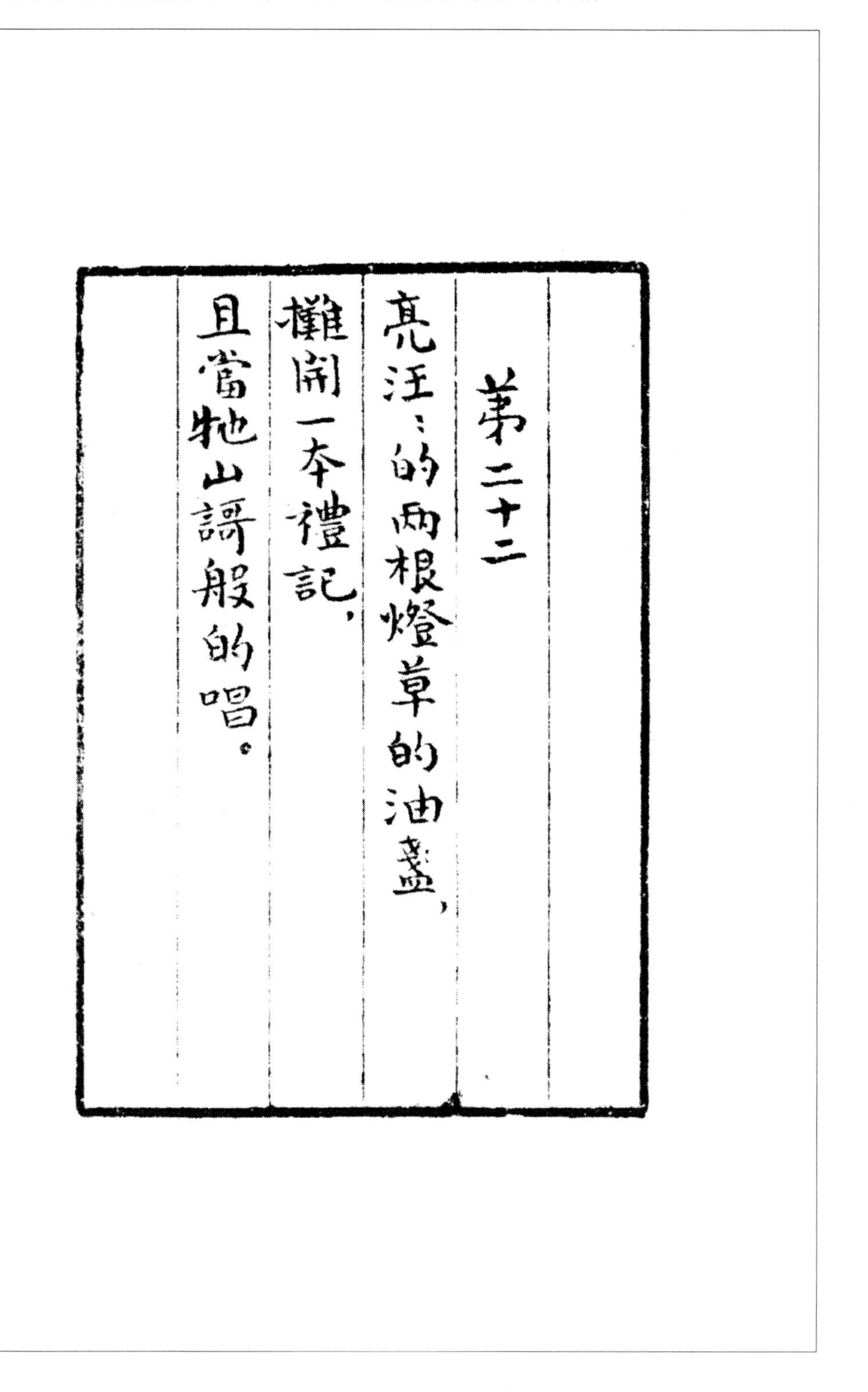

第二十二

亮汪汪的兩根燈草的油盞，
攤開一本禮記，
且當牠山謌般的唱。

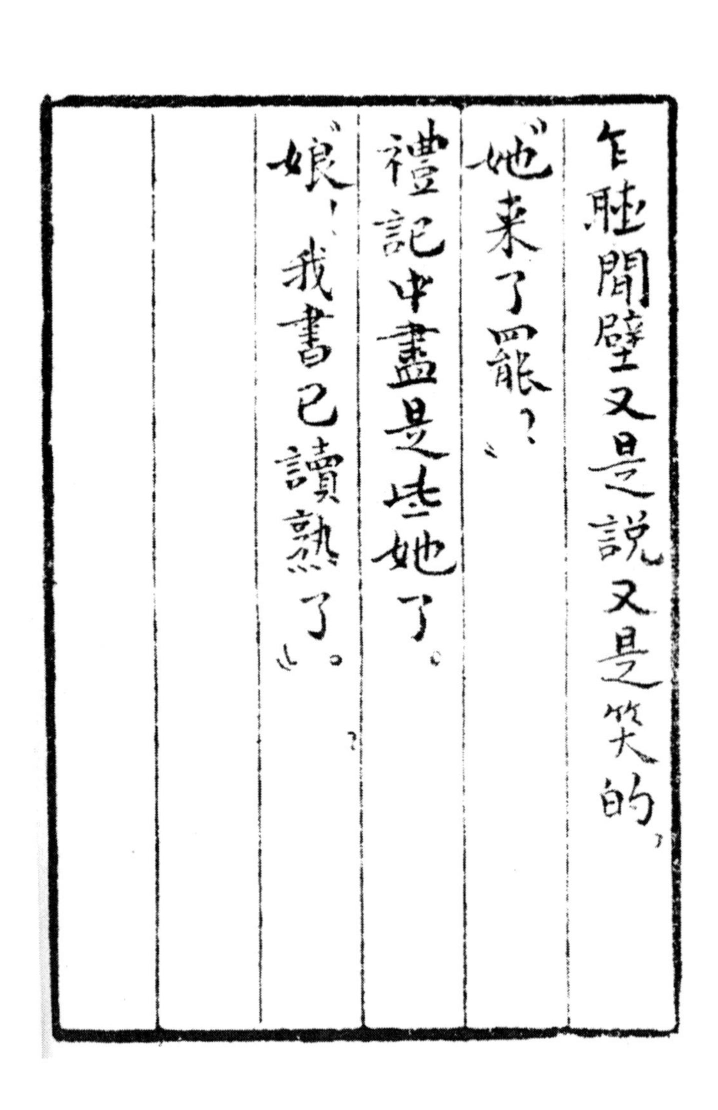

乍聽隔壁又是說又是笑的，
「她來了罷？」
禮記中盡是些她了。
「娘！我書已讀熟了。」

两根灯草的油盏
曲礼下
毋不敬
T.K.

第二十三

她底照片在一小抽屜裏。
他們都會笑我的，
假如當着他們去看。
但是背着他們着不更好嗎？
好笨的啊！

真極人間世底廣，
使我不復羈于第三世界而彷徨，
使我不復愴怨吾生底微茫。

人已遠了，說已晚了，
可默然了。

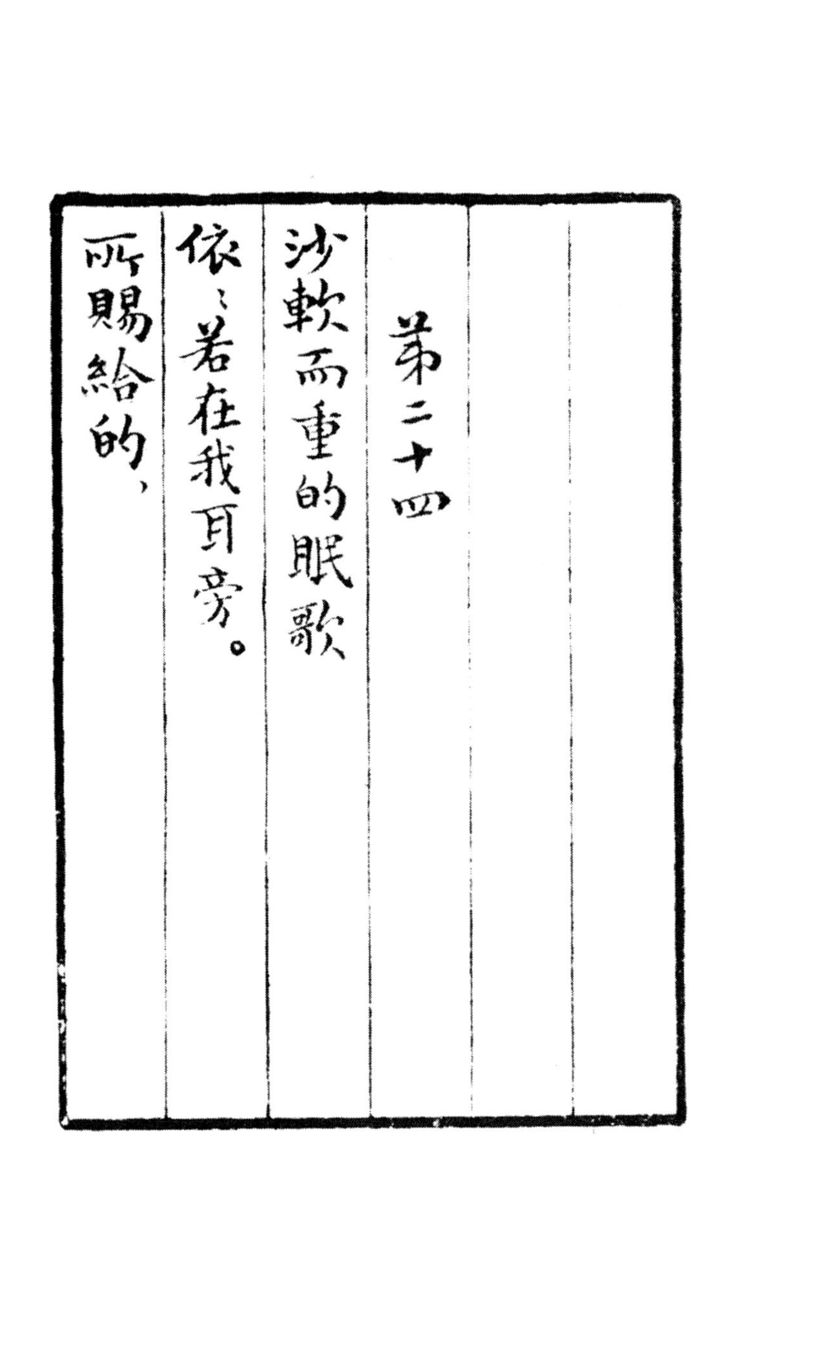

第二十四

沙軟而重的眠歌

依〻若在我耳旁。

所賜給的，

我將嚙釘我底哀思，——
不然，我底全心嚙，
於墳墓了。

第二十五

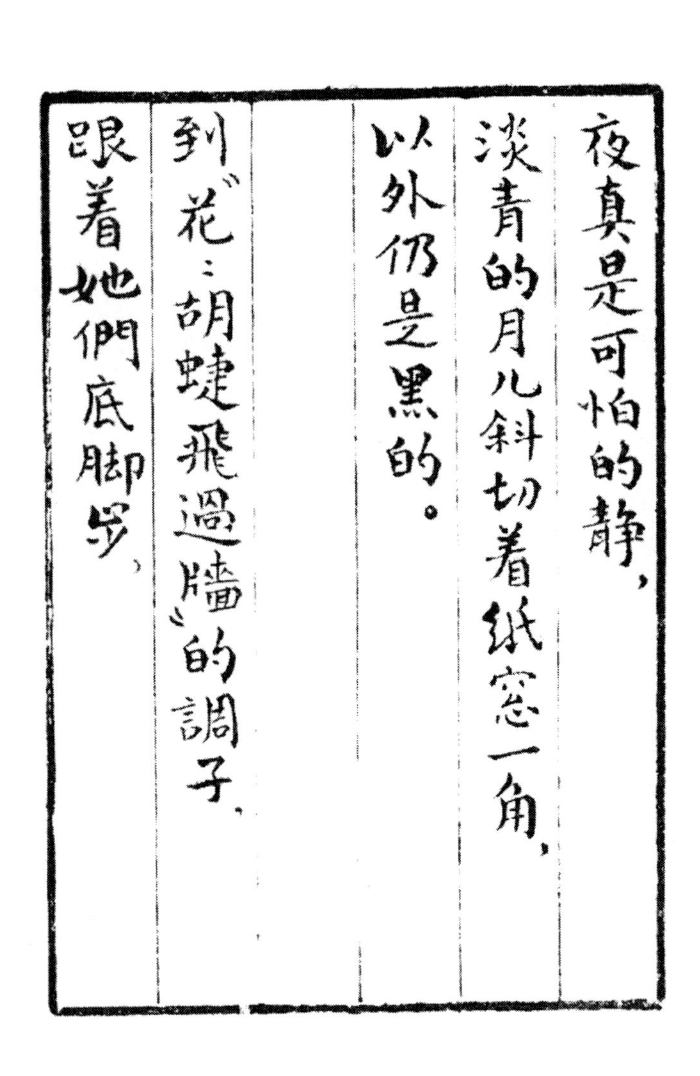

夜真是可怕的靜，
淡青的月兒斜切着紙窗一角，
以外仍是黑的。

到〃花〃胡蝶飛過牆〃的調子，
跟着她們底脚步，

柔曼悠揚地響在長廊，
笑語也滿了長廊，
枕ル軟了，席ル涼了，
夏夜一霎便去了。

淡青的月兒
斜切着
紙牕一角，
T.K.

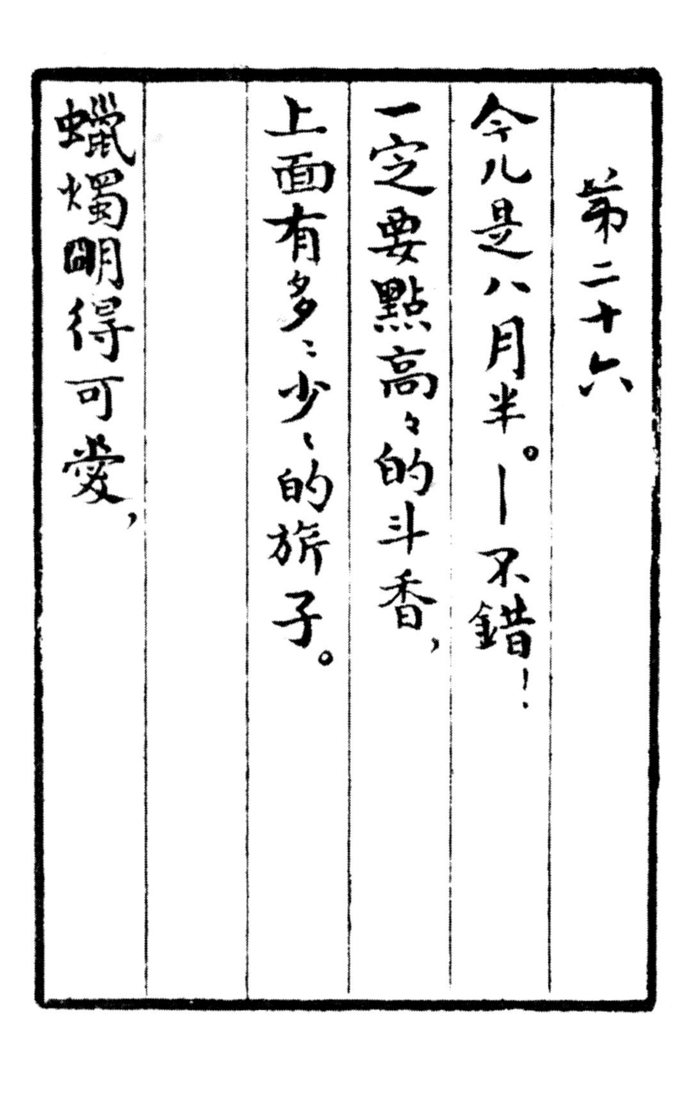

第二十六

今儿是八月半。一不錯！

一定要點高高的斗香，

上面有多多少少的旂子。

蠟燭明得可愛，

旂子紅得可愛，
斗香底烟亂七八糟得可愛。
他們偏要鬧什麼「做詩」，
算怎麼一回事呢？
他們究竟做了沒有呢？
想是哄我們的。

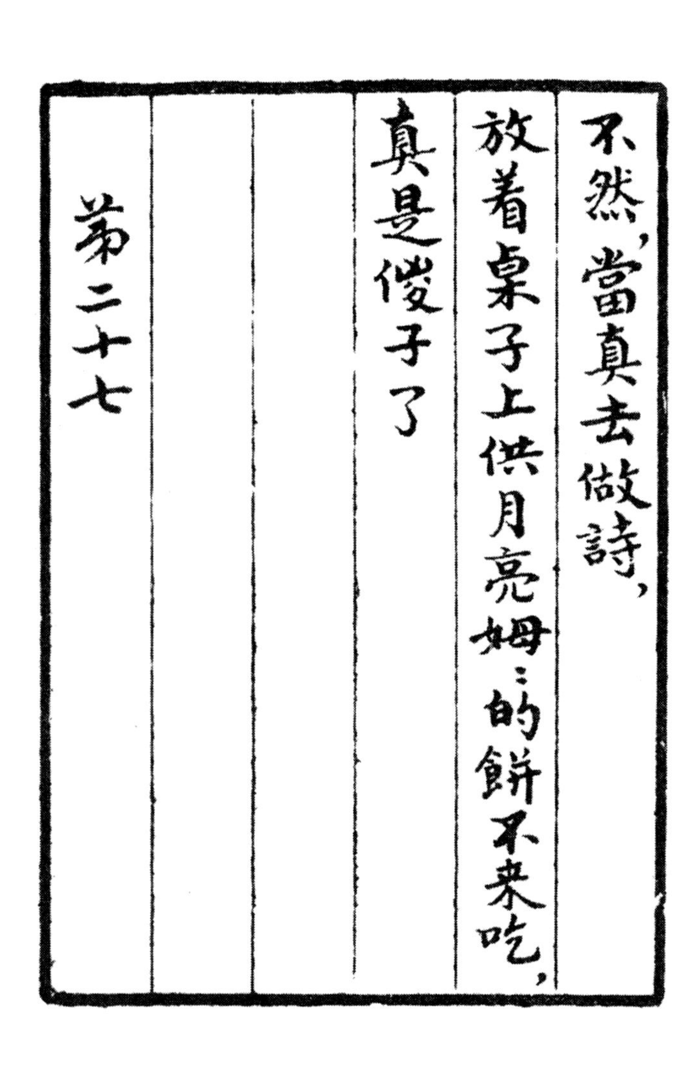

不然，當真去做詩，
放着桌子上供月亮姆姆的餅不來吃，
真是儍子了

第二十七

惻々的情思，嬾々的腳步，
向蕊々斜々的水亭上闌干倚了。
池畔壓着一棻黃的棣棠。

棣棠點々頭，他想起什麼來了。
棣棠睡着，他可更想多了。

以上諸篇同年九月八日夜作于美國波士頓。

第二十八

紅蠟燭底光一跳一跳的。

燭臺上，今夜有剪好的大紅紙，

碧綠的柏枝，還綴着鵝黃的子。

紅蠟燭底光一跳一跳的，
照在挂布帳的床上，
照在裏床的小枕頭上，
照在小枕頭邊一雙小紅橘子上。

紅蠟燭底光，
一跳一跳的。
T.K.

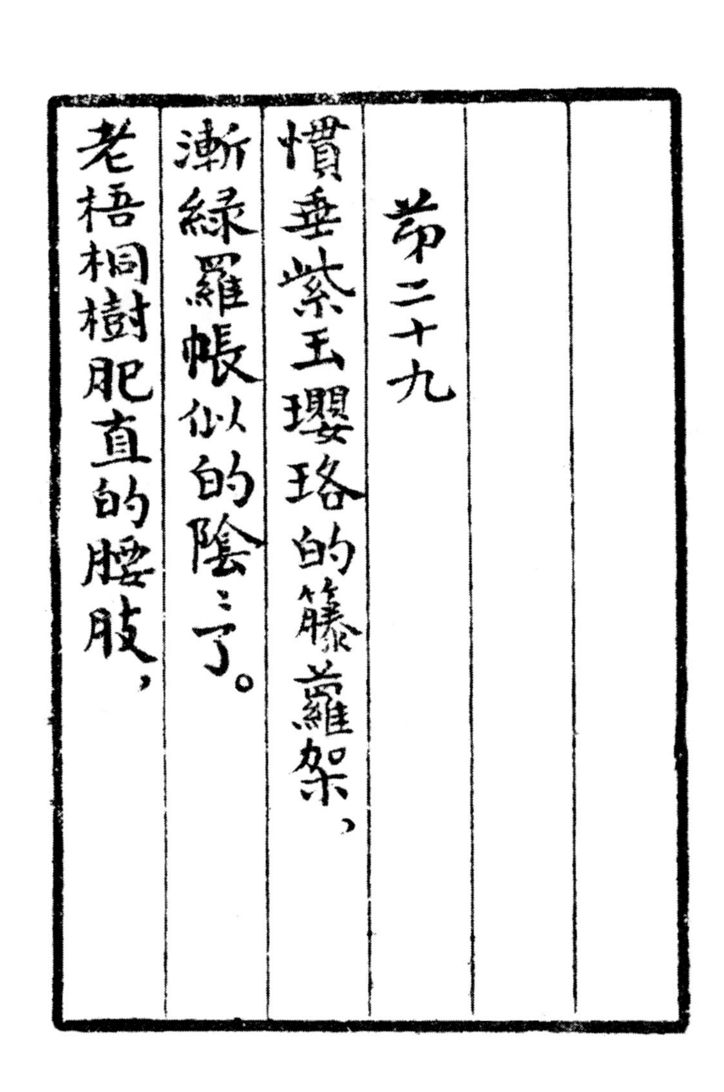

节二十九

慣垂紫玉瓔珞的籐蘿架，

漸綠羅帳似的陰陰了。

老梧桐樹肥直的腰肢，

響着花喇〻〻的大葉。

知了之聲焦灼，
蝦蟆之聲繁多，
一般的響。
只一个在亭午，

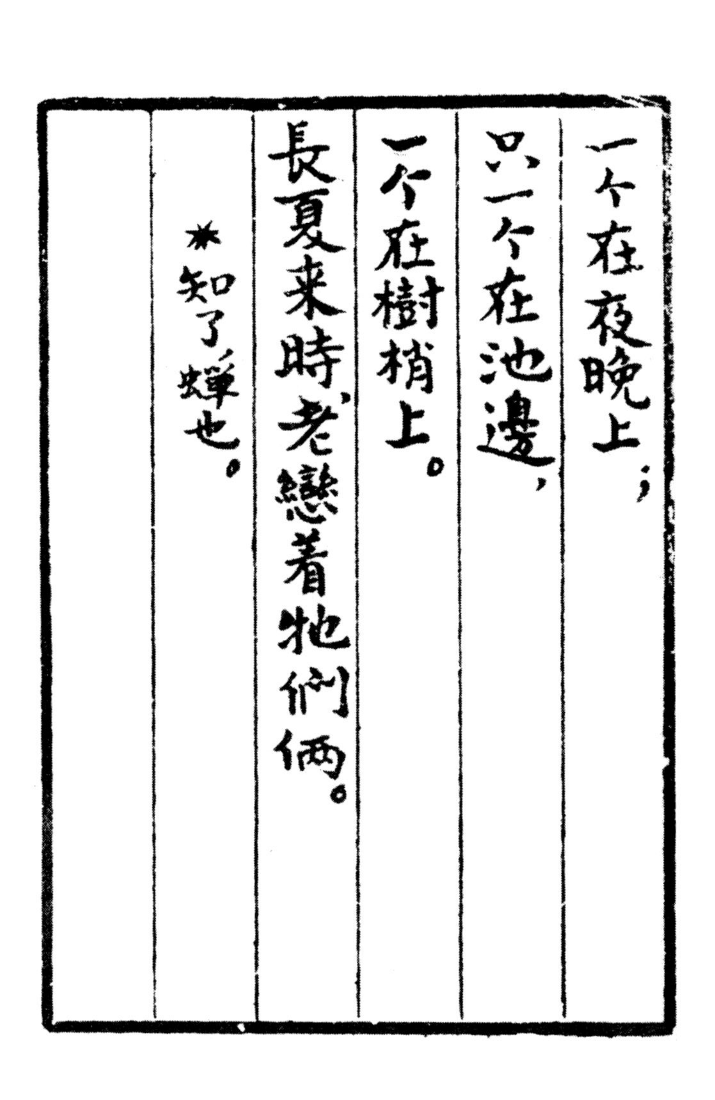

一个在夜晚上；
只一个在池邊，
一个在樹梢上。
長夏来時，老戀着牠們倆。

*知了，蟬也。

板〻地湛碧的天，
垂〻地勻細的簾子，
孩子坐在比他大得多，大得多的椅
子上，咿啞〻地讀，
時〻朦〻知了底叫，
更從簾縫〻裏偷瞧太陽底影子。——

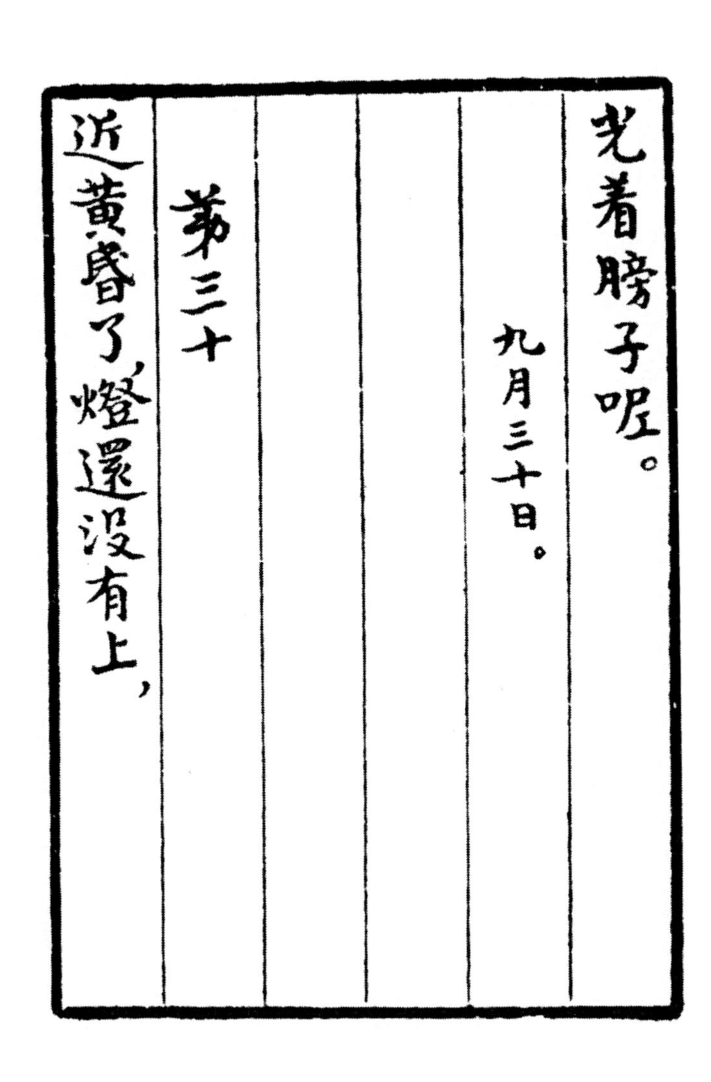

光着膀子呢。

九月三十日。

第三十

近黄昏了，燈還没有上，

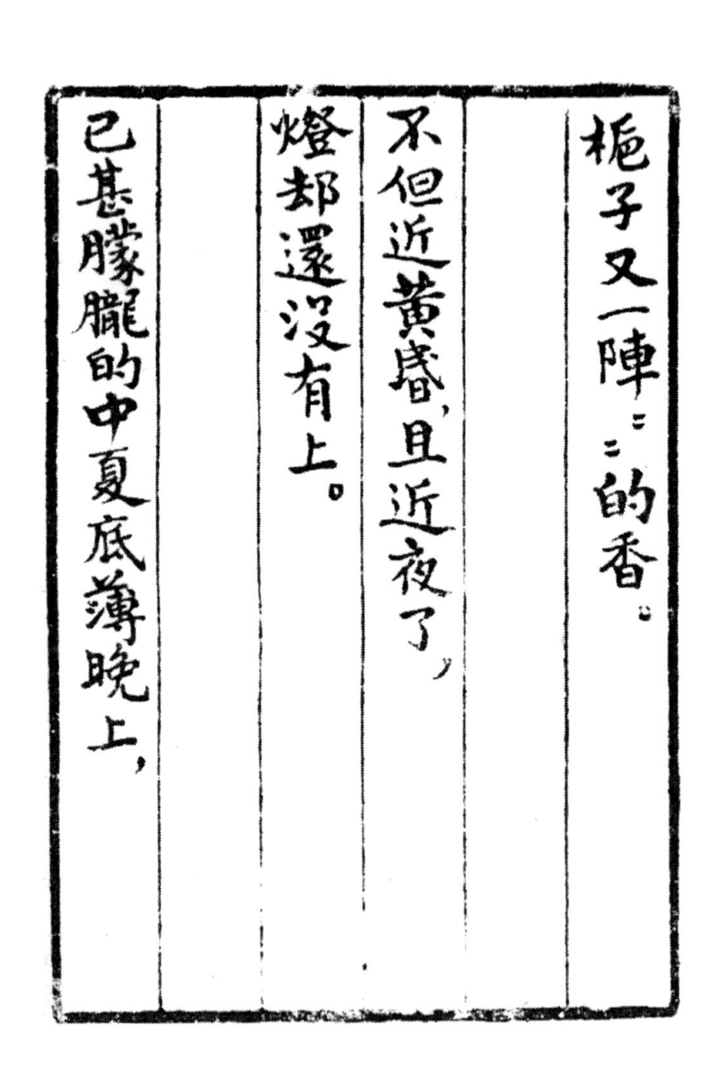

梔子又一陣陣的香。

不但近黃昏，且近夜了，

燈却還沒有上。

已甚朦朧的中夏底薄晚上，

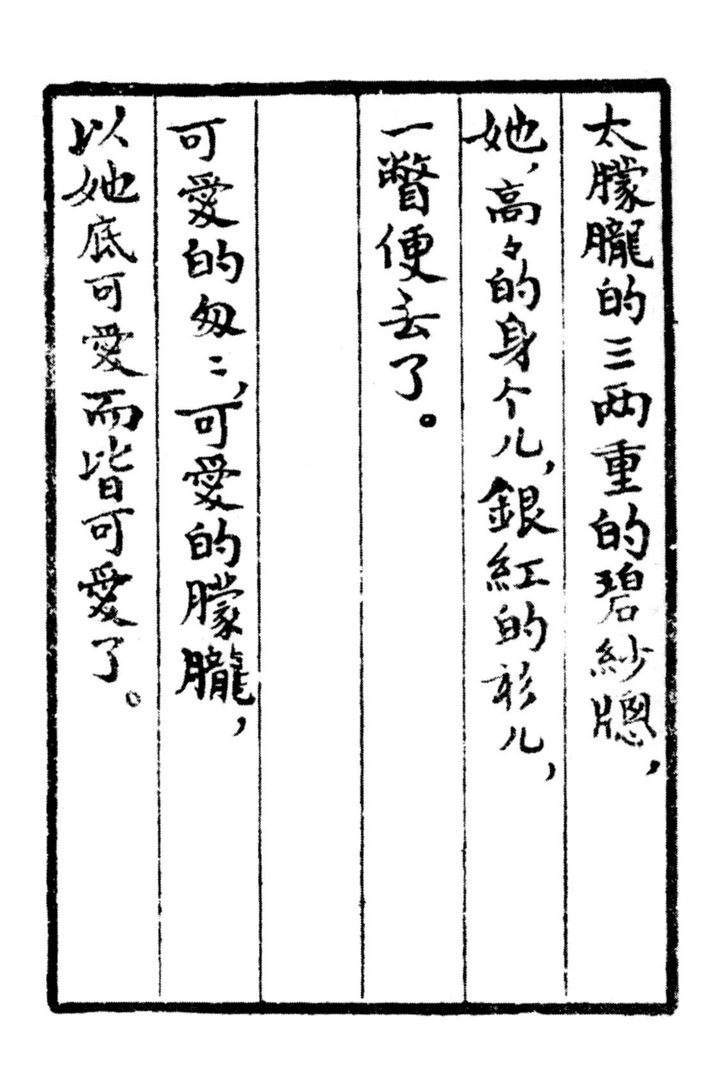
太朦朧的三兩重的碧紗幮，
她，高々的身个儿，銀紅的衫儿，
一瞥便去了。

可愛的匆匆，可愛的朦朧，
以她底可愛而皆可愛了。

惟癡絕的猶以為不足。

我若是个畫家，
它就這朦朧且匆匆的景光，
將一件銀紅的衫儿鮮明地染了。
我若是个詩人，

T.K.

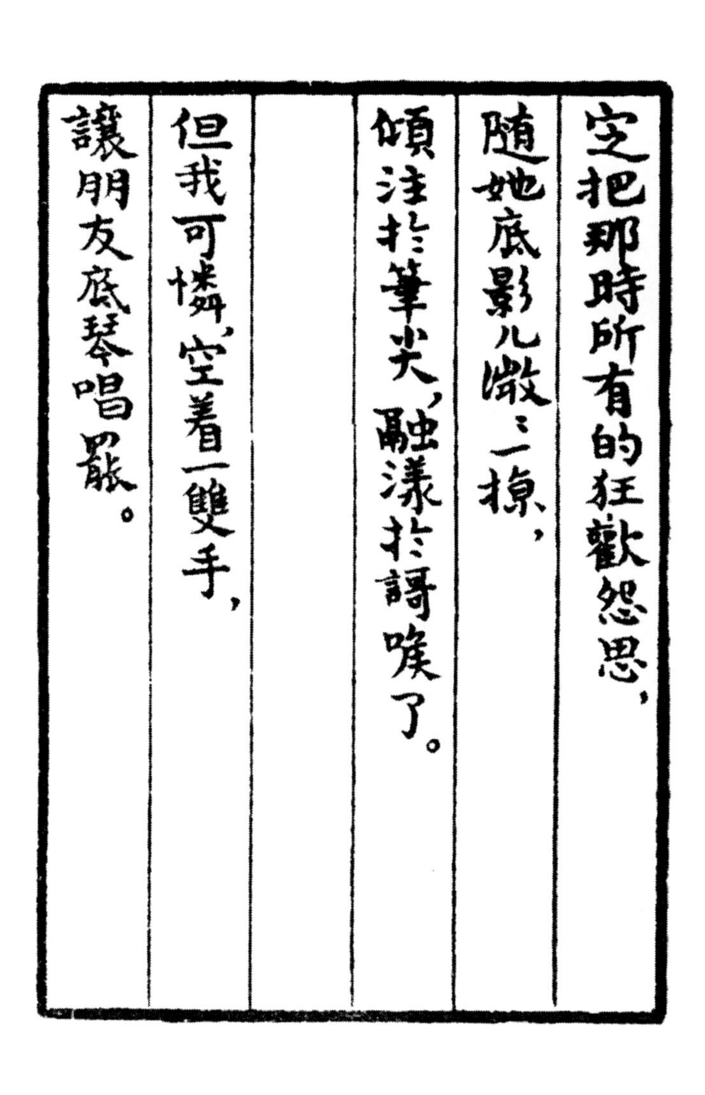

空把那時所有的狂歡怨思，
隨她底影兒瞰瞰一掠，
傾注於筆尖，融漾於詩喉了。

但我可憐，空着一雙手，
讓朋友底琴唱罷。

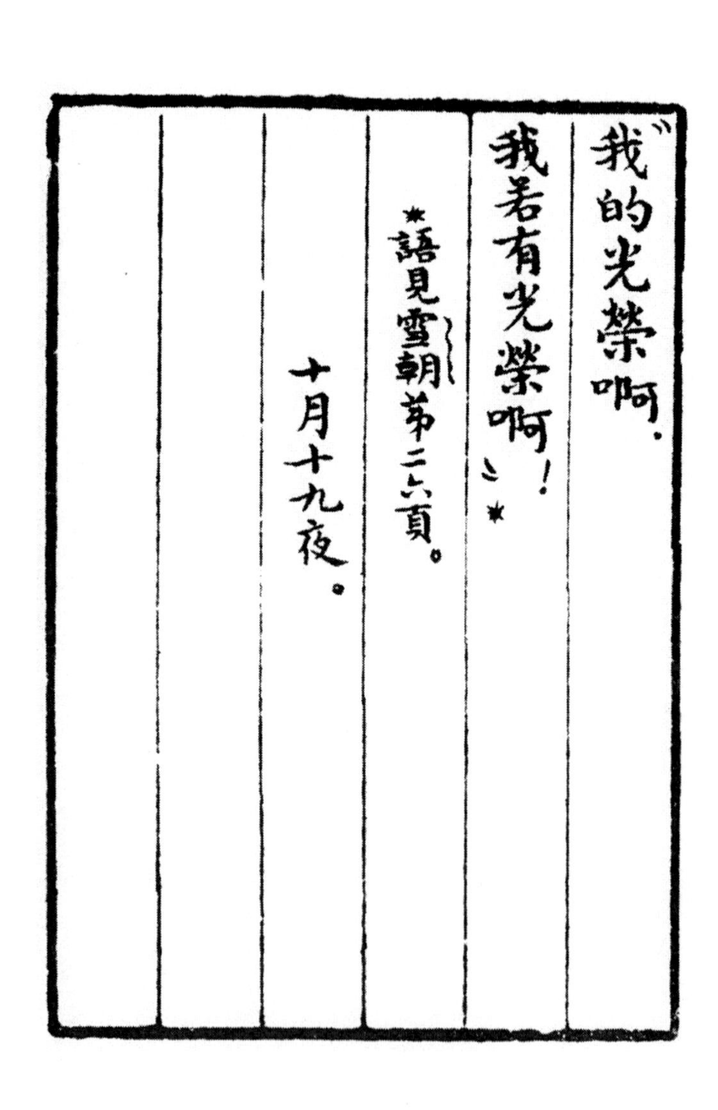

〃我的光榮啊．

我若有光榮啊！＊

＊語見雪朝第二六頁。

十月十九夜。

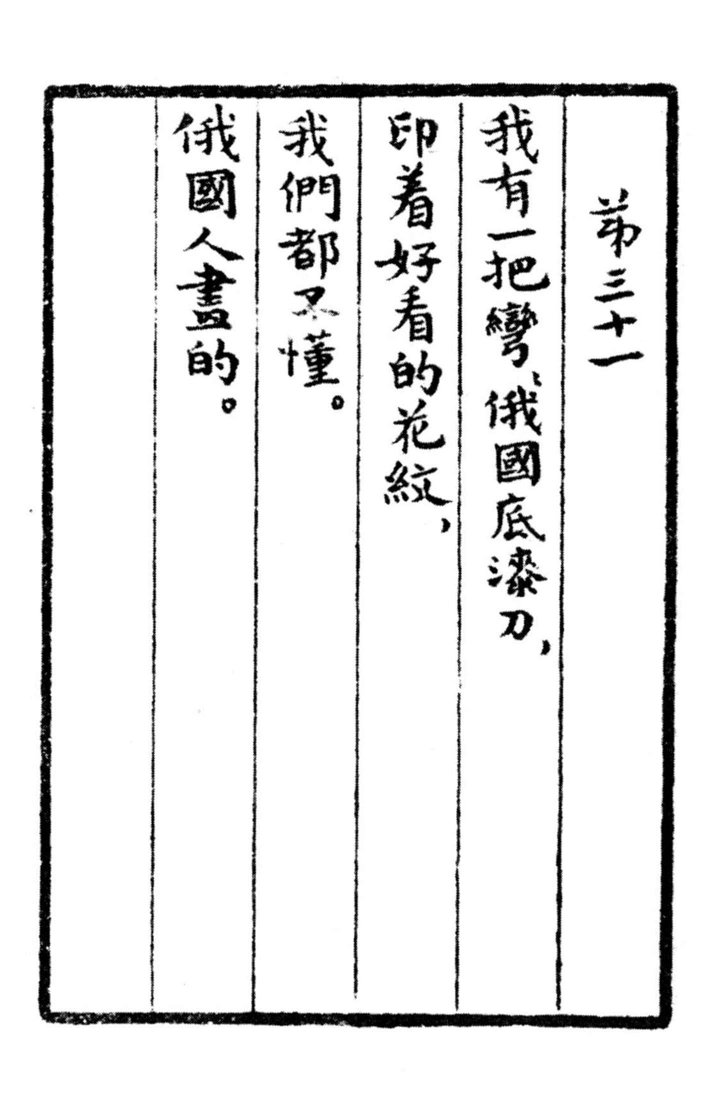

第三十一

我有一把彎、俄國底漆刀，
印着好看的花紋，
我們都不懂。
俄國人畫的。

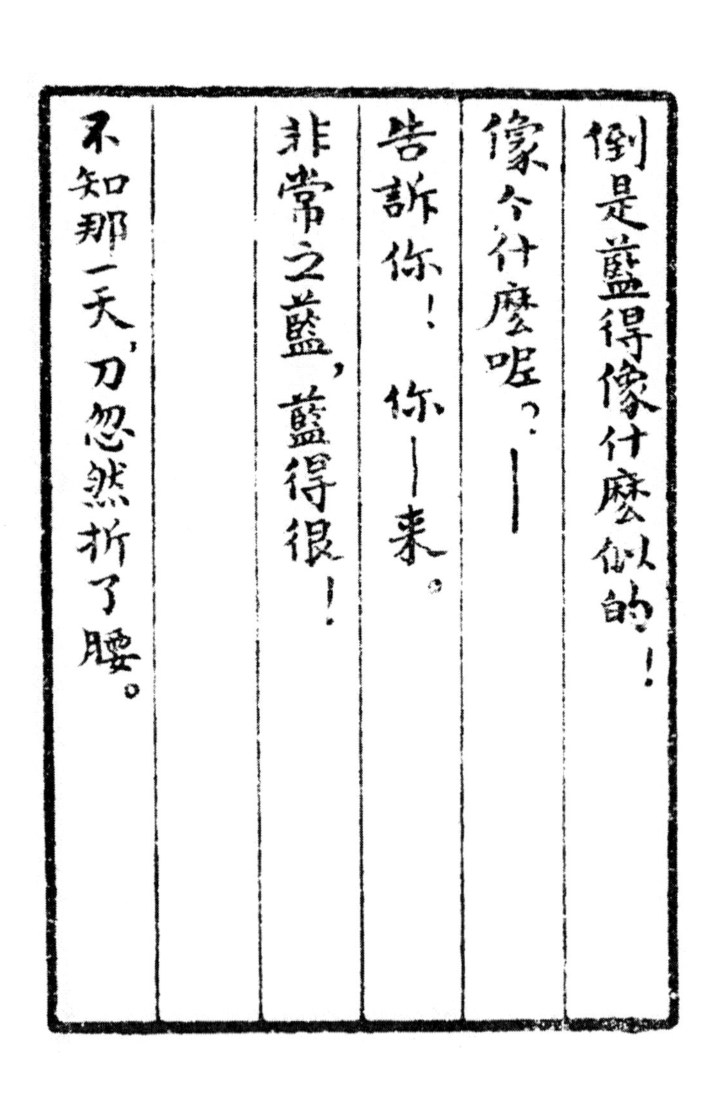
倒是藍得像什麼似的！
像个什麼呢？——
告訴你！你——来。
非常之藍，藍得很！

不知那一天，刀忽然折了腰。

我不歡喜看這赤條條黃木頭底怪樣子，
一扔扔到床頂上，
再不瞅牠一眼。

你得知道，
就在我那床頂上，

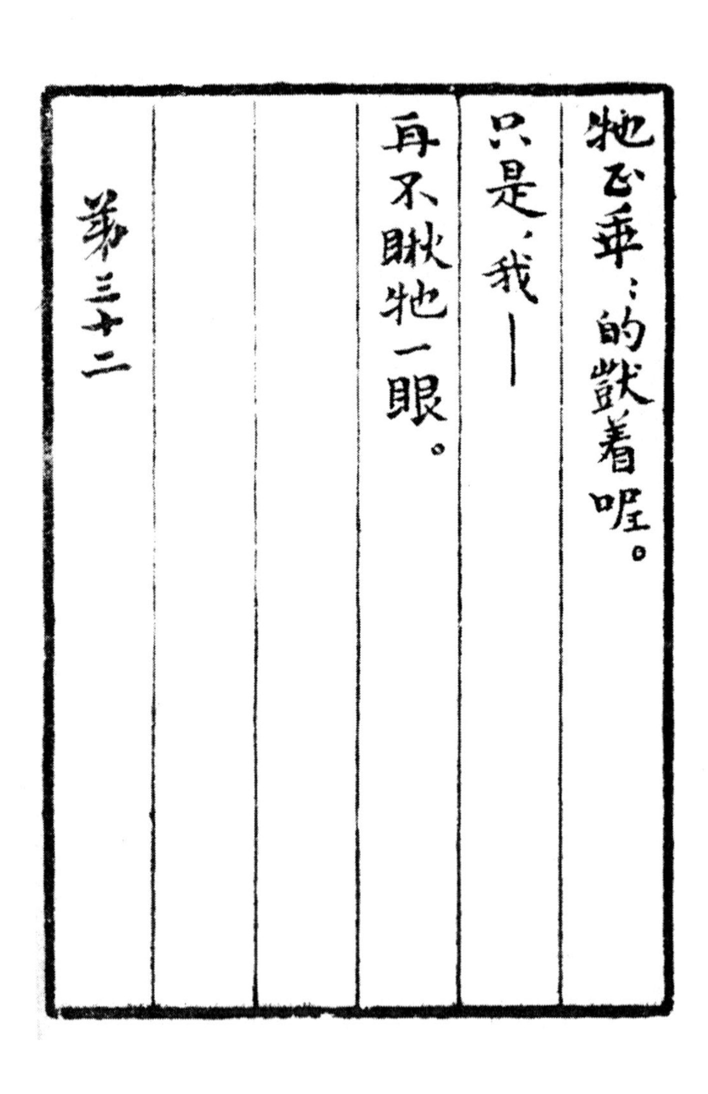
牠飞乖：的歎着喔。
只是，我——
再不瞅牠一眼。

第三十二

你數忘了那，
白的繡球兒，
T.K.

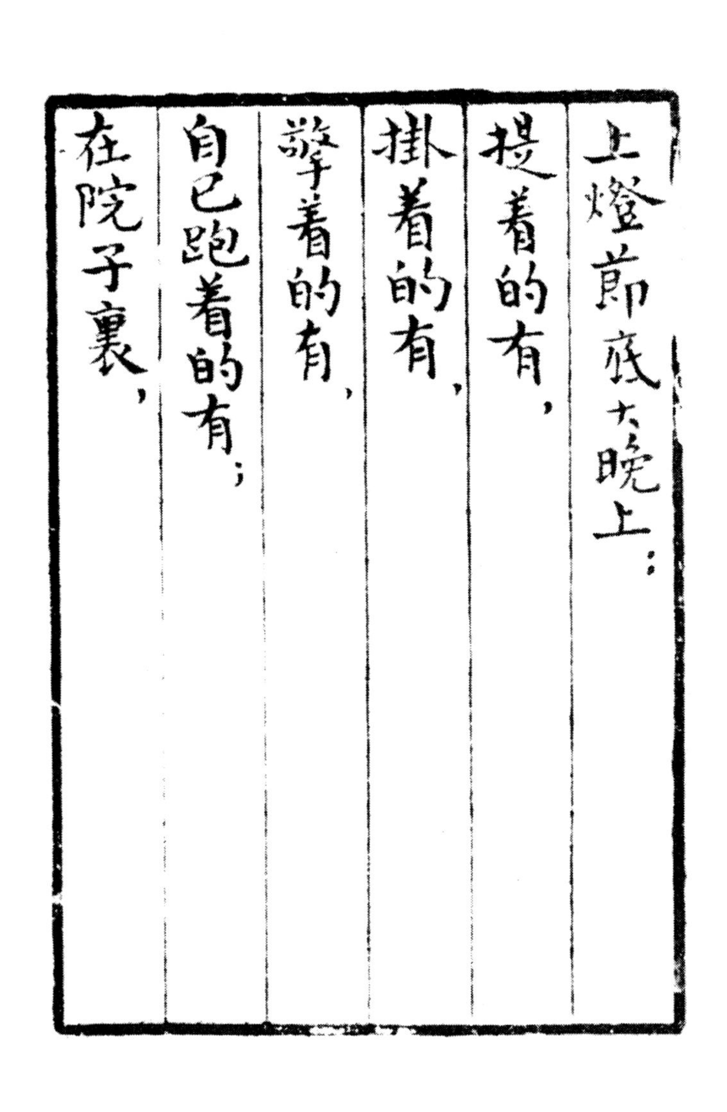
上燈節底大晚上；
提着的有，
掛着的有，
擎着的有，
自己跑着的有；
在院子裏，

在堂屋裏，
在廊上，在我房裏。

紅的金魚，
碧綠的蝦蟆，
黃的螳螂，

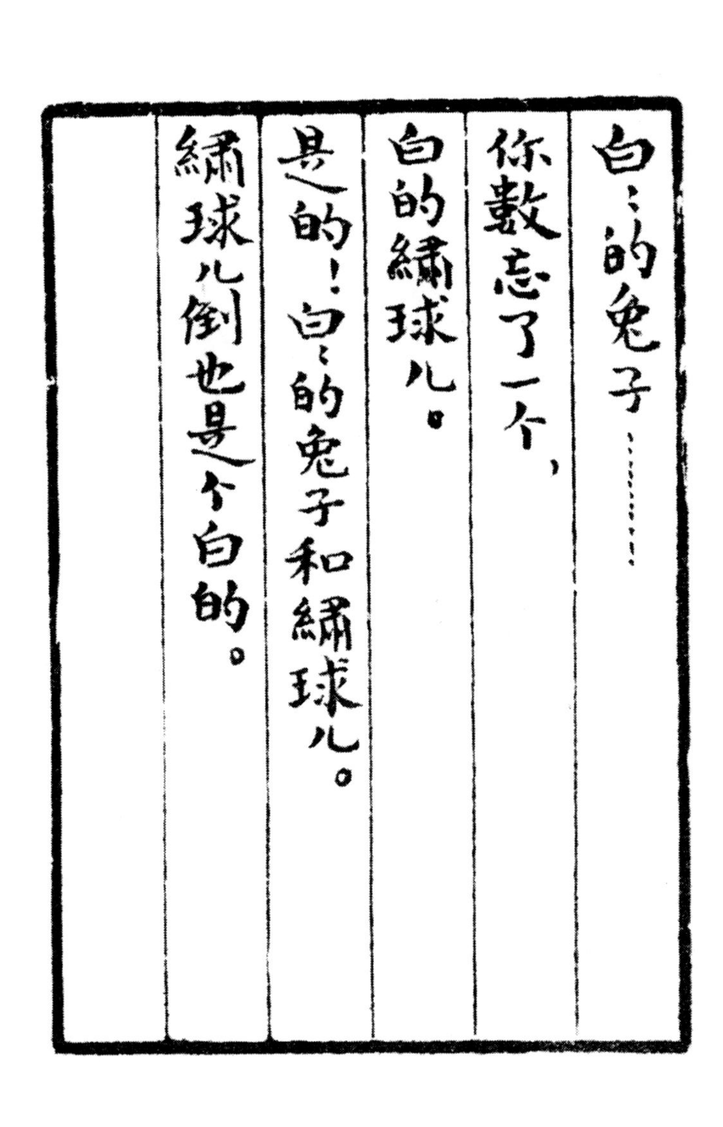
白白的兔子……
你數忘了一个，
白的繡球儿。
是的！白白的兔子和繡球儿。
繡球儿倒也是个白的。

小蠟燭，小得很，
經不起風吹，
風吹便要淌眼淚，
躲在燈兒底懷裏。
摟着，抱着，

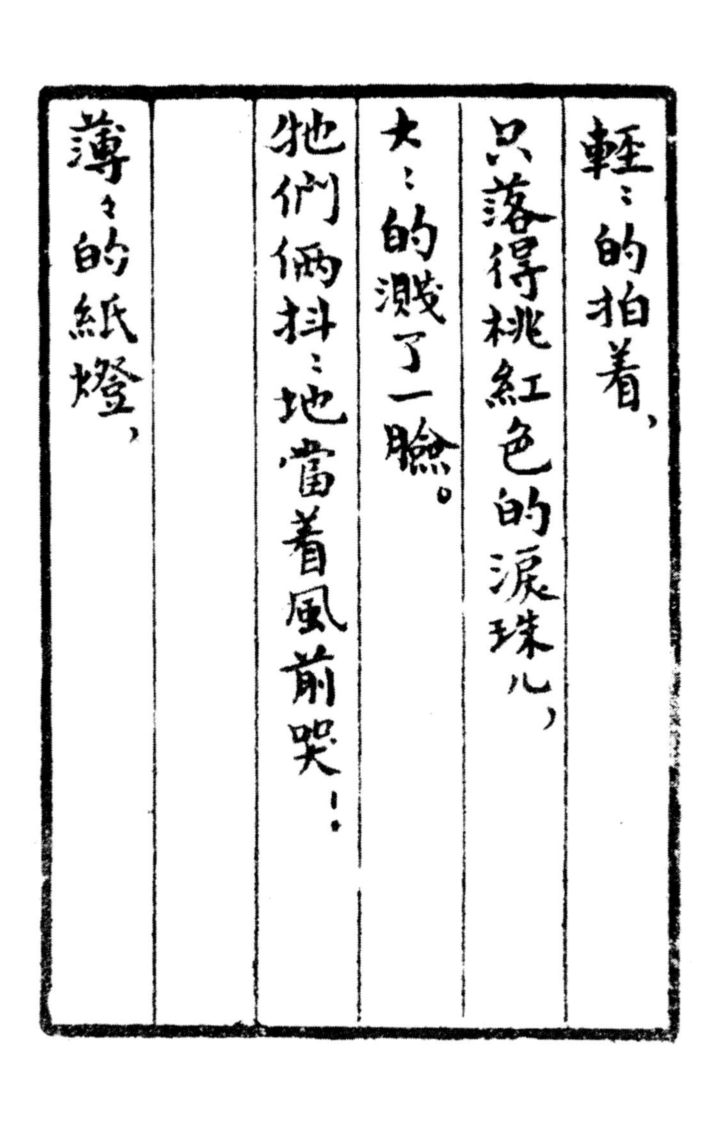
輕輕的拍着，
只落得桃紅色的淚珠儿，
大大的濺了一臉。
牠們倆抖抖地當着風前哭！

薄薄的紙燈，

搖搖的短檠，
東北風吹来，冷冷清清。
淚流呀，—流也罷，
淚終于凝；
長流呀—長流也罷，
終于要凝。

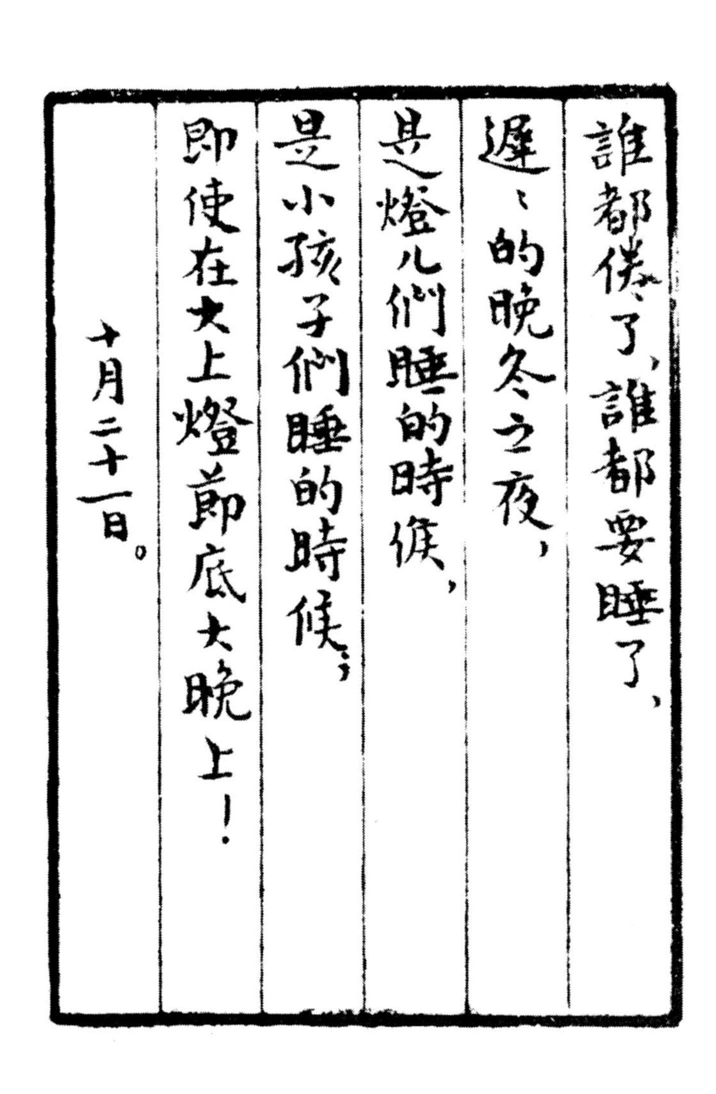

誰都倦了，誰都要睡了，
遲遲的晚冬之夜，
是燈儿們睡的時候，
是小孩子們睡的時候；
即使在大上燈節底大晚上！

十月二十一日。

以上作于美國紐約城。

第三十三

淡漠極的清烁，

近黃昏時，灰色的天空，

朦朦朧朧地露出孩子底里的
髣髴，黑而且大的眼。
T.K.

有一隊〻盤旋着，〻嘶叫着的黑老鴇。
紙格子的窗，
窗底中央，一塊小方玻璃，
朦〻朧〻地露出孩子底黑的鬚髮，
黑而且大的眼。

孩子在鐙前，
老鵠們在窩裏；
銀灰色的黃昏
挨着鐵灰色的夜。
只賸得淡青色油盞火底微芒，
在小方玻璃面前，

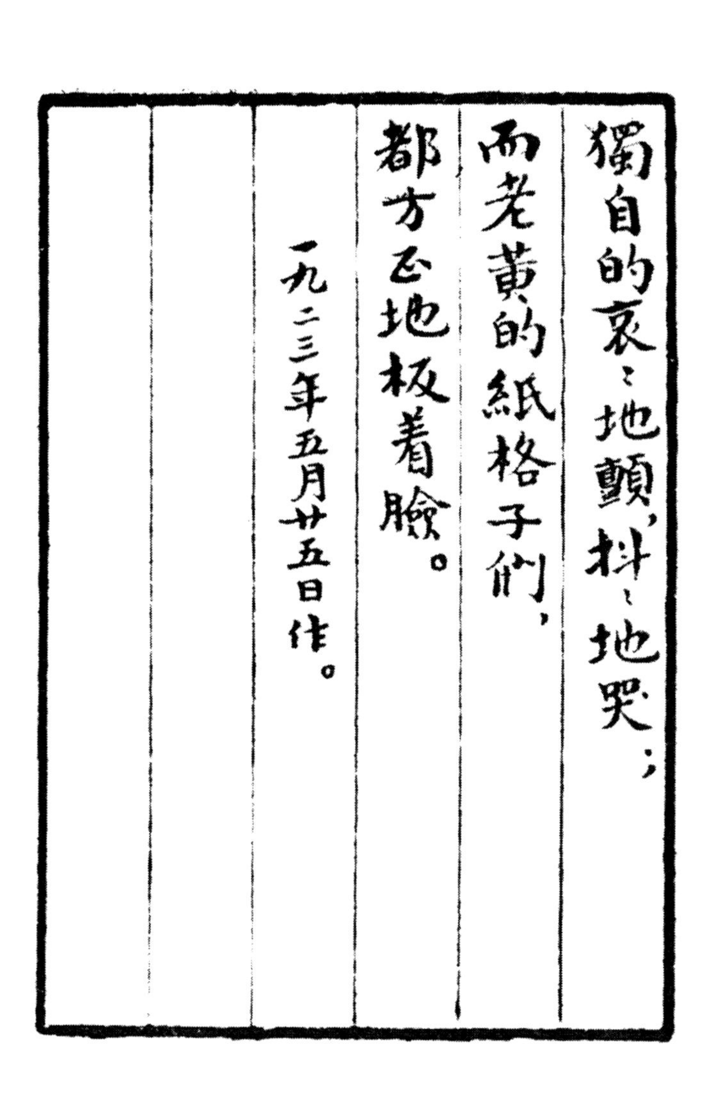

獨自的哀哀地顫，抖抖地哭；
而老黃的紙格子們，
都方正地板着臉。

一九二三年五月廿五日作。

第三十四

竹檽戞着；
蒲扇拍着；
一陣冬青樹的風，
把街堂裏兩扇板門
彭彭的響着。

月亮兒躲在楊柳裡
T.K.

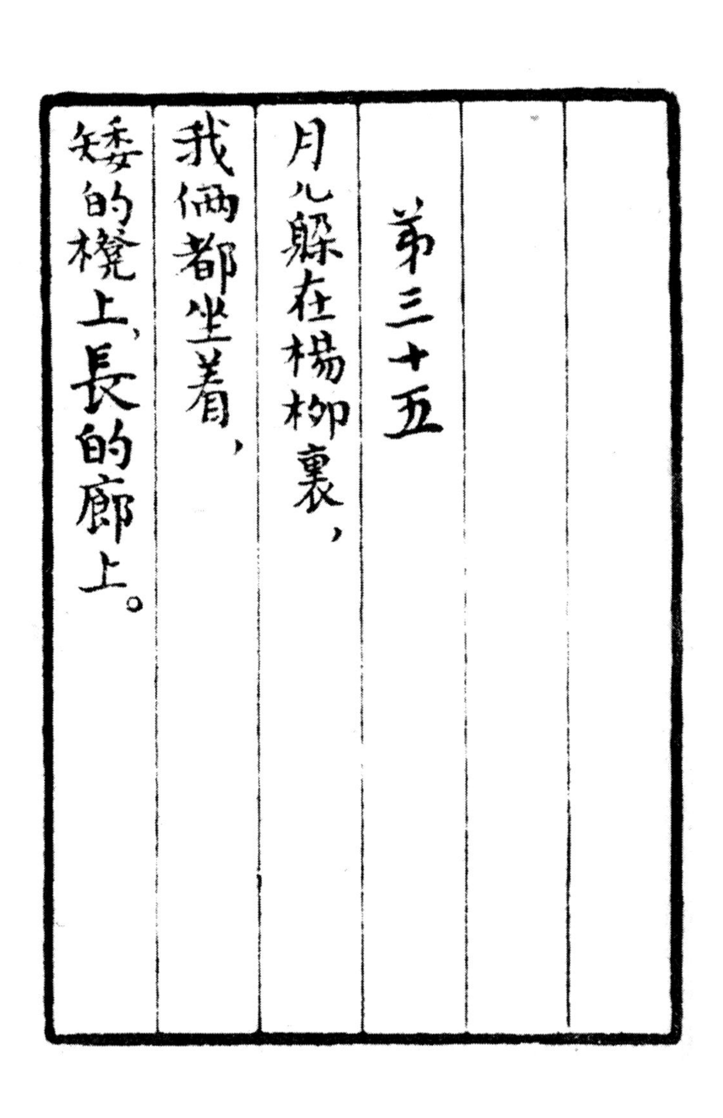

第三十五

月兒躲在楊柳裏，
我倆都坐着，
矮的櫈上，長的廊上。

姊姊底故事講得好哩。

月儿移上楊柳梢，
我們便倦了；
月儿穿出楊柳外，
我們便走了。

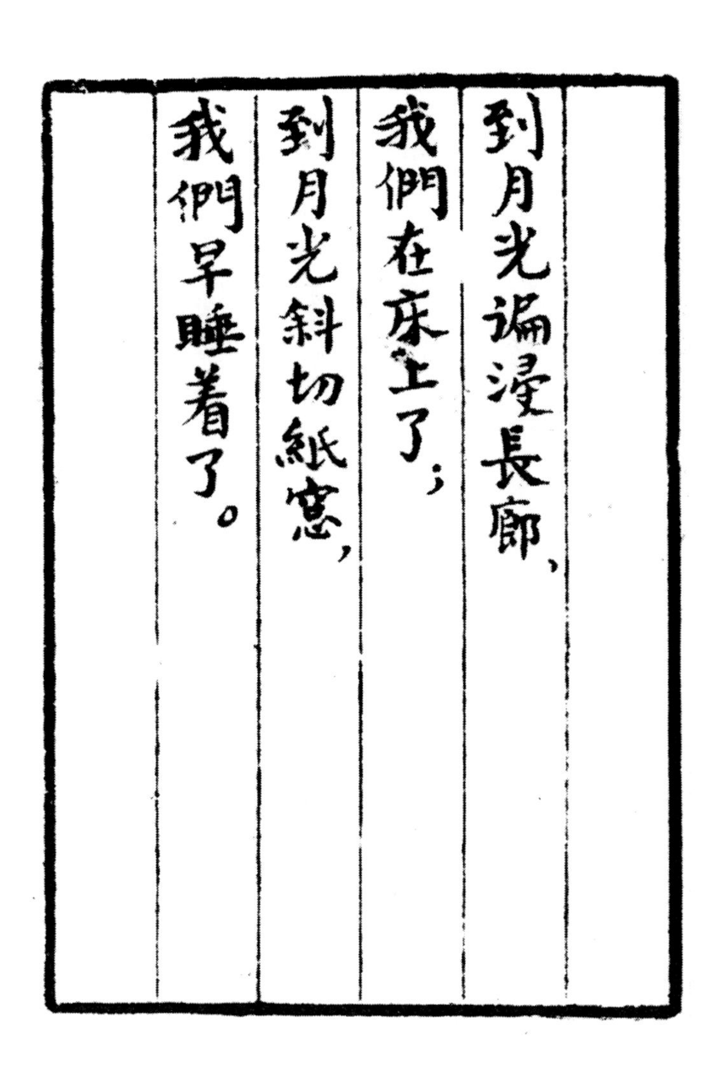

到月光徧浸長廊，
我們在床上了；
到月光斜切紙窗，
我們早睡着了。

月儿度過中天，
向清苦的西方直落下去。
曉風吹動耿耿的長庚，
搖搖的好像一盞燈。
家雞還要睡睡呢，
但遠處已喔喔然了。

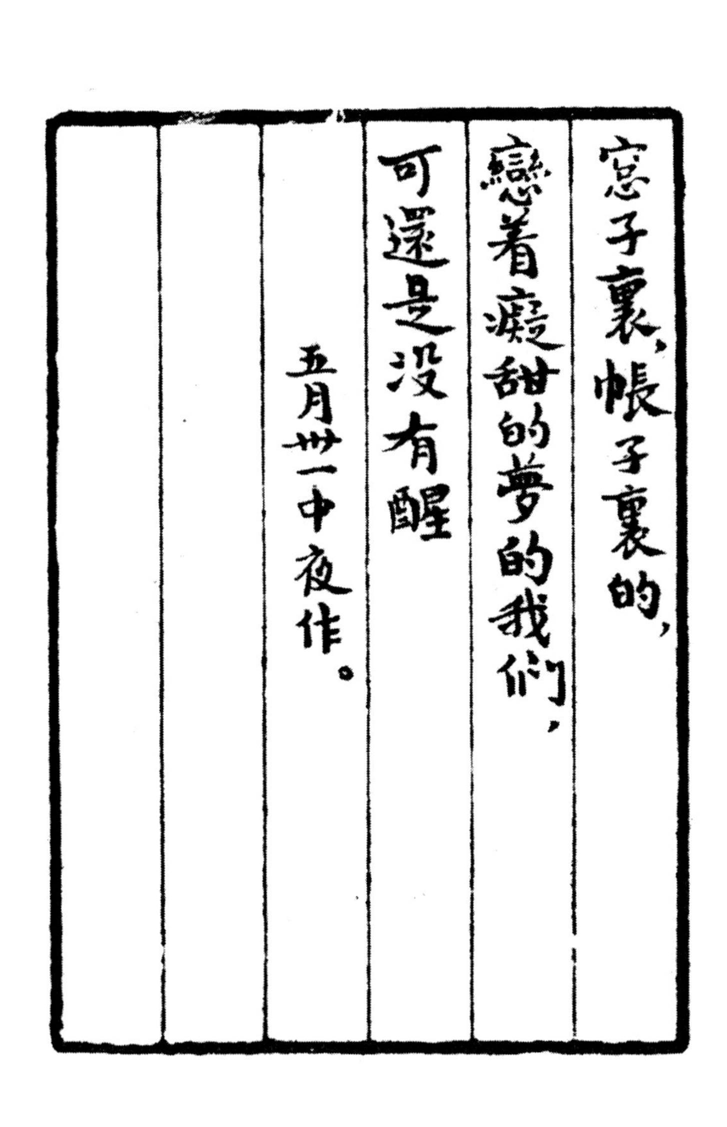

窗子裏，帳子裏的，
戀着癡甜的夢的我們，
可還是沒有醒

五月卅一中夜作。

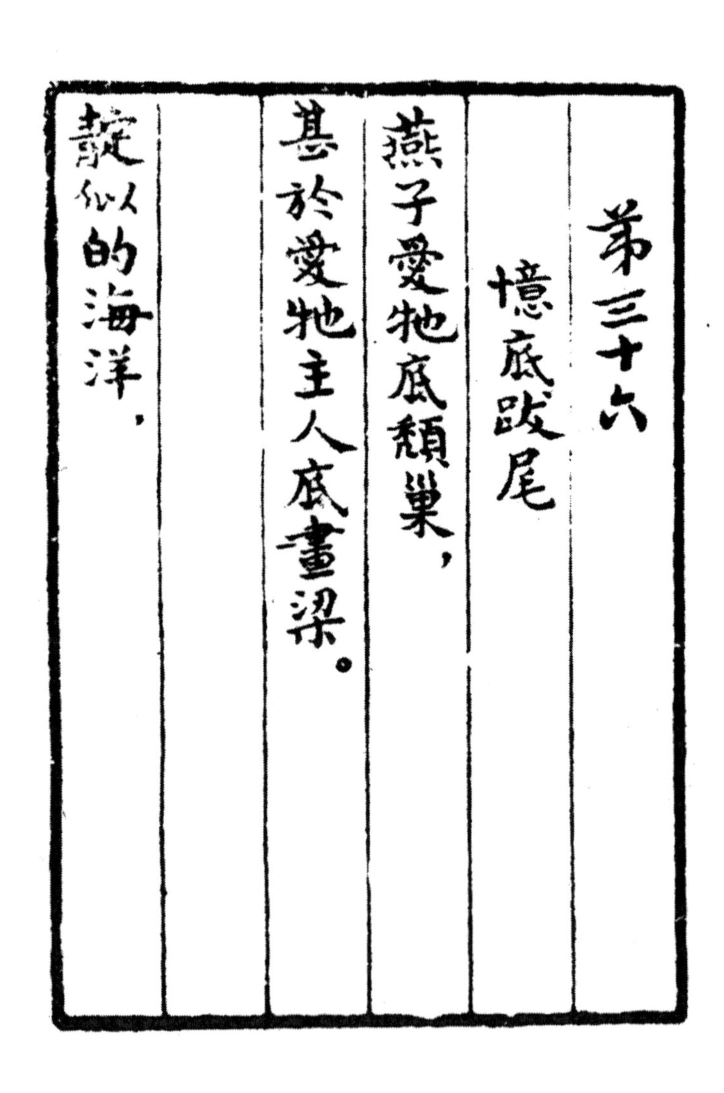

第三十六

憶底跋尾

燕子愛牠底舊巢，
甚於愛牠主人底畫梁。
靛似的海洋，

銀樣的冰川，
焦的黃沙磧，
嫩的綠草原，
……
那些踪跡都黯淡了，飄墮了，
且融解了。
只有雛年曾嬉戲過的舊巢，

是和牠稔熟的，
是和牠親密的，
是和牠相擁抱的。

小燕子其實也無所愛，
只是沈浸在這朦朧而飄忽的夏夜

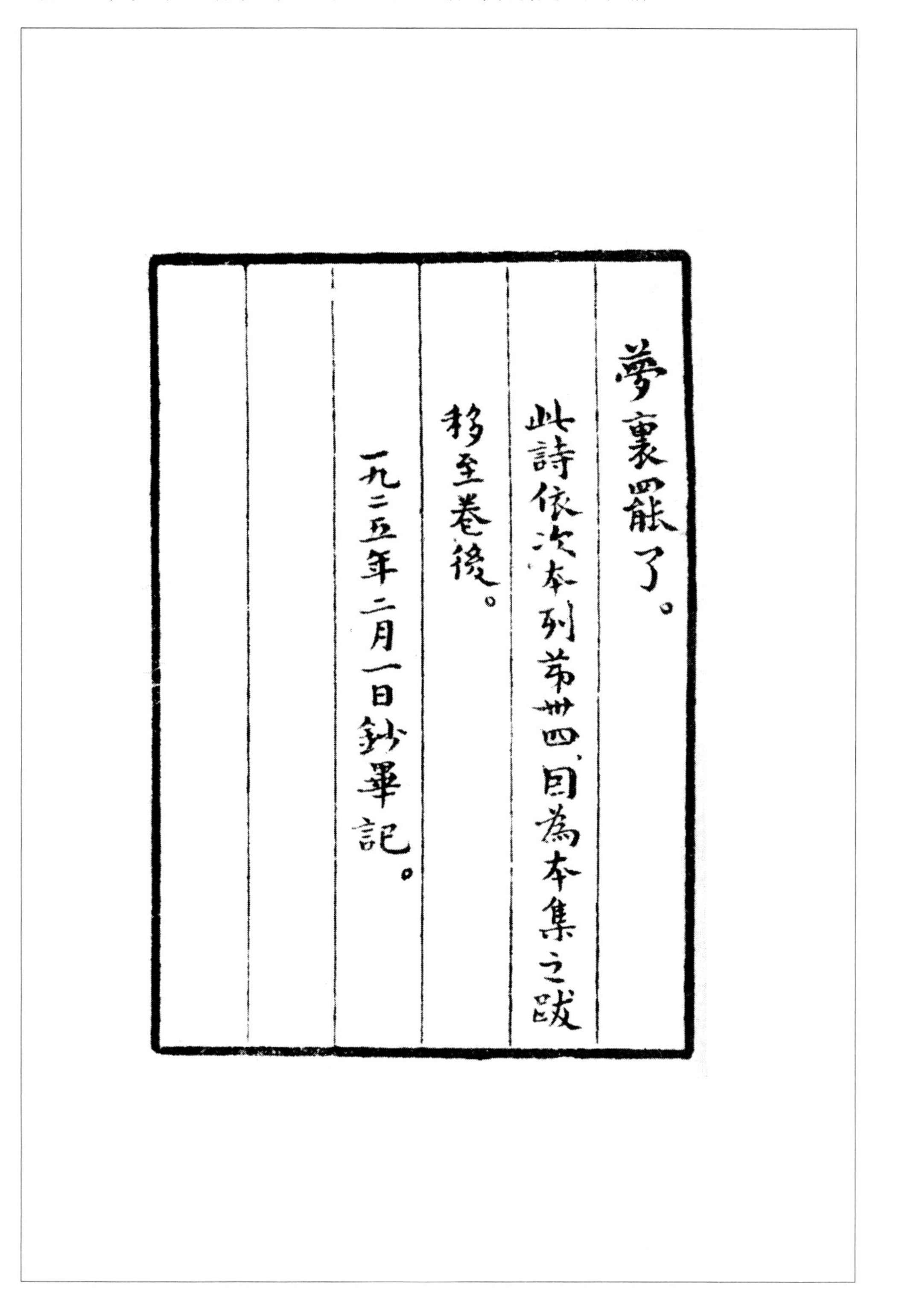

夢裏罷了。

此詩依次本列第卌四，因為本集之跋移至卷後。

一九二五年二月一日鈔畢記。

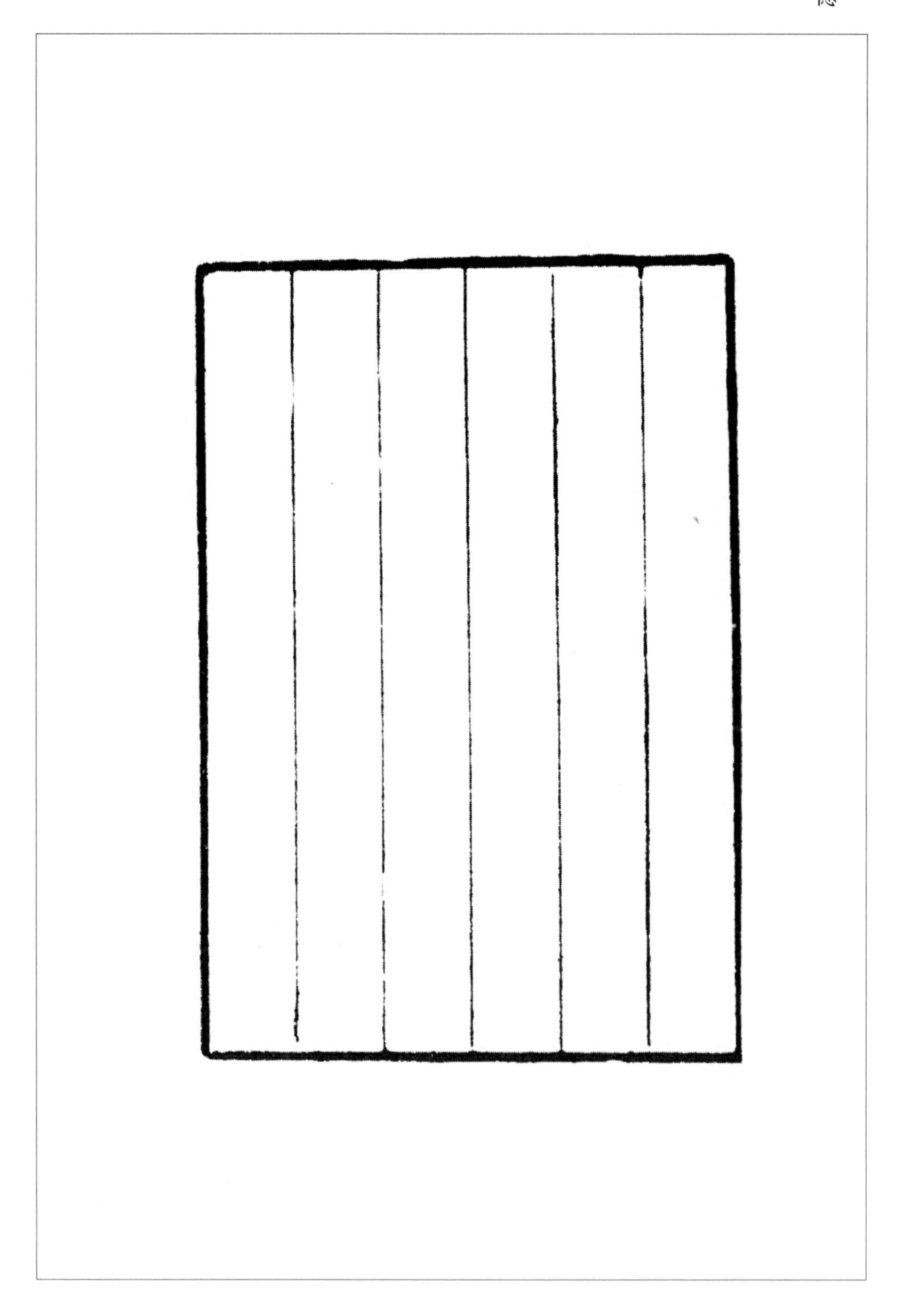

憶之附錄

年来偶有用舊體诗寫往事者，

比亦憶之屬也。

京師舊游襍憶 七年舊作

頗有驕驄陌上嘶，風蟬寒扊過楊枝。樓頭鐙影樓前月，酔裏情懷似舊時。什刹海

偶移壓蹋踏山林，栽羅南岡又北岑。重過
瑯琊諻意滅，更憐松桂未成陰。京西薛家山
百年陵闕散蕪烟，芳草牛羊識舊阡。一樹
山桃紅不定，兩三人影夕陽前。明景泰帝陵
吳苑西橋舊居門前
成塵寒雨浴河堤，鵝綠楊枝顫復歌。別

巷賣花聲乍遠餛飩擔子上橋西。

十三年二月十一日。

海上秋鷗

長飆風側々颱羣鷗，雲物倥偬亂入秋。抵得一林黃葉嘯，迴旋銀翅海西頭。三月六日。

偶憶湖樓之一夜

出岫雲嬌不自持，好風吹上碧玻璃。捲簾愛此朦朧月，盡裏青山夢後詩。

八月三日，作于北京。

過大取燈胡同感事

廣陌疏槐又晚晴，朱門曾此迓鸞軿。翠翹欲溜扶頭坐，裙帶時搖細細鈴。

題平湖秋月圖

錦帶橋西杳鈿輪，楊枝還學水漪淪。尖風苦茗雙清侶，圓月何須憶故人

君憶

君憶南湖蕩槳時，老人祠下共尋詩；而今陌上花開日，應有將雛舊燕知。

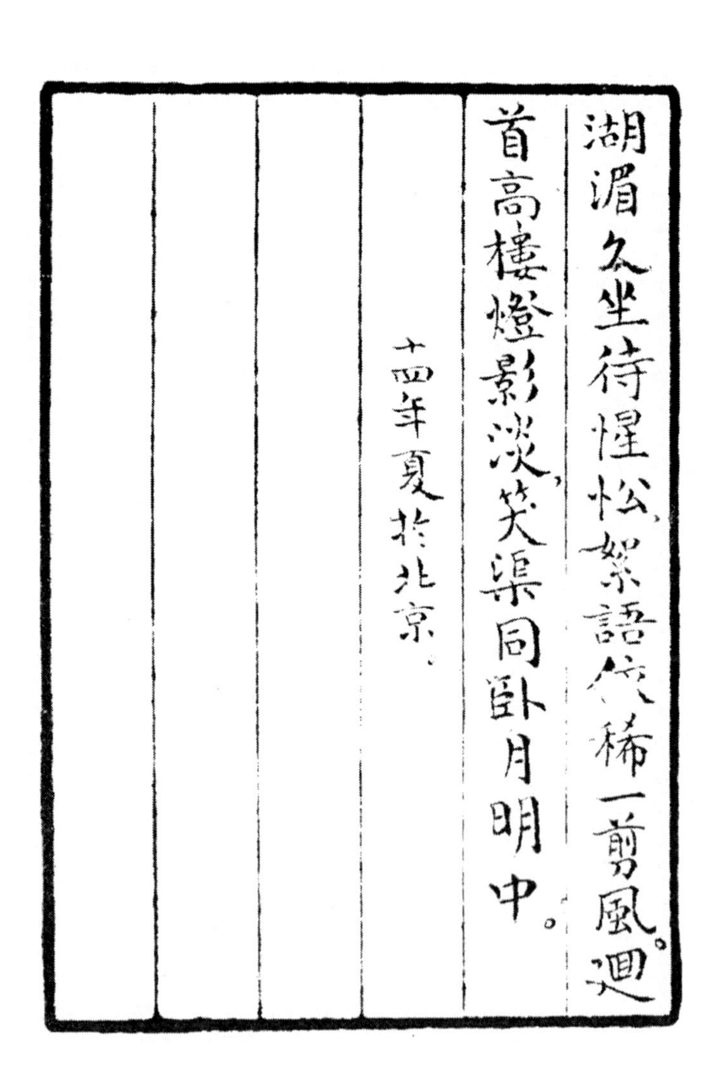

湖湄久坐待惺忪，絮語依稀一剪風。迴首高樓燈影淡，笑渠同臥月明中。

十四年夏於北京、

憶江南

江南好、長憶在西湖。雲際遙青多擁髻，隄頭膩綠每皴螺。葉艇蘸晴波。

江南好，長憶在山塘。遲日烘晴花市鬧，鄰灘打水女砧忙。鈴塔動微陽。

江南好，長憶在吴城。門户窺人鶯燕嬾；

日斜深巷賣餳聲，吹徹杏花明。

江南好，長憶在吾鄉。魚浪烏篷春撒網，

蟹田紅稻夜鳴榔。人語鬧宵航。

七年夏在北京作。

臨江仙 記六年夏在天津養病事。

夢醒簟紋在臂，倦聞薰押丁東。借君短

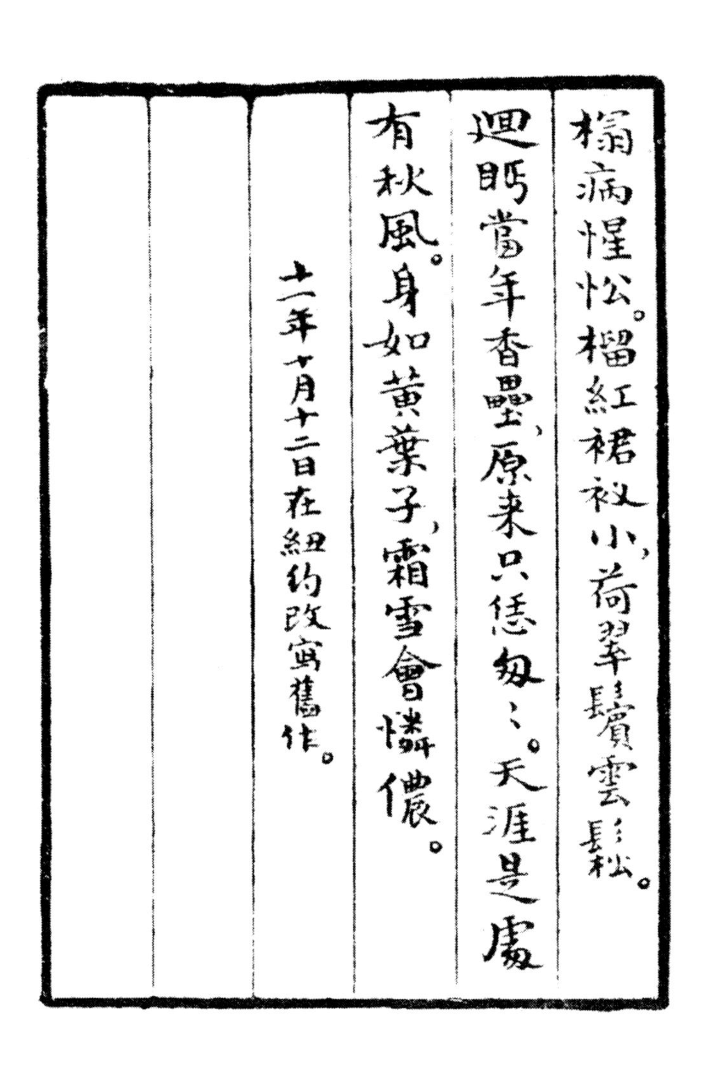
榻病惺忪。榴紅裙衩小，荷翠鬢雲鬆。迴眄當年香疊，原来只恁匆匆。天涯是處有秋風。身如黃葉子，霜雪會憐儂。

十二年十月十二日在紐約改寫舊作。

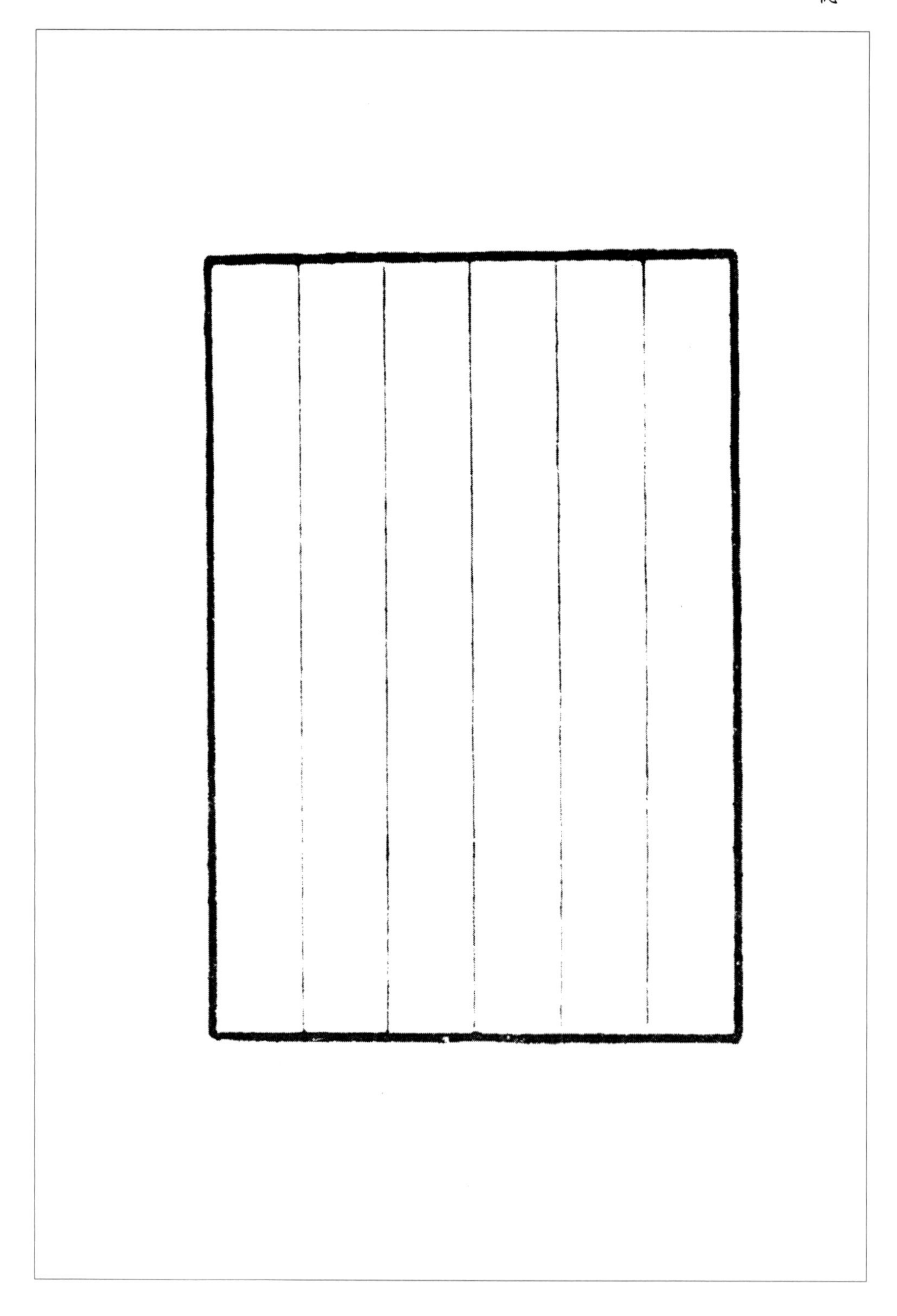

跋

小燕子其實也無所愛，
只是沈浸在朦朧而飄忽的夏夜夢裡吧了。

——第三十六首——

人生若真如一場大夢，這個夢倒也
狠有趣的。在這個大夢裡，一定還多、

長々短々，深々淺々，肥々瘦々，甜々苦々

無數々々的小夢。有些已經隨着日影

飛去；有些還遠々着呢。飛去的夢便是

飛去的生命，所以常々留下十二分的惋惜，

在人們的心裡。人們往々從「現在的夢」裡

走出，追尋舊夢的蹤跡，正如追尋舊日的

戀人一樣；他越過了千重山、萬重水，一直的追尋去。這便是「憶的路」。「憶的路」是愈過愈廣闊的，是愈過愈平坦的；曲々折々的路旁，隱現着幾多的驛站，是行客们休止的地方。最後的驛站，在白板上寫着朱紅的大字：「兒時」。這便是「憶的路」的起點，「平伯所徘徊而不忍去的了。

過去的夢因為過去的緣故，倒是甜蜜蜜，但又酸溜溜的。這便合成了別一種滋味，就是所謂悵悵了。而「兒時的夢」和現在差了一世界，那醞釀着的悵悵的味兒更

具肥腴得可以，直膩得人沒法兒！您想那
顆一絲不掛却又愛著一切的童心，眼見得
在那隱約的朝霧裡，憑您怎樣招着您
的手兒，總是不回到腔子裡來；這是多麼
「蹊」呢？於是乎們覺着悶的慌，便老々實
々的，像春日的輕風在綠樹間微語一般低

々的，密々的將他的可憶而不可捉的「兒時」許給您了。他雖然不能長住在那「兒時」裡，但若能多招呼幾個伴侶去徘徊幾番，也可畧減他的空虛之感；那惆悵的味兒，便不致老在他的舌本上膩着了。這是他的聊以解嘲的法門，我們都多少能默喻的。

在朦朧的他兒時的夢裡，有像紅蠟燭的光一跳々々的，便是愛。他愛故事講得好的姊々，他愛唱沙軟而重的眠歌的乳母，他愛流蘇帽兒的她。他也愛翠竹叢裡一萬的金點子和小枕頭邊一双小紅橘子；也愛紅綠色的蠟淚和爸々的頂大的斗篷；也愛翦啊，翦羽啊的燕子和躲在楊柳裡的月亮……………：他有着純真的，爛漫的心；凡和他接觸的，他都与他們諗熟，親密——他一例的擁抱了他們。所以他是自然（人也在內）的真朋友！

他所愛的還有一件，也得給您提明的便

是黃昏与夜。他說他將像小燕子一樣，沈浸在夏夜梦裡，便是分明的自白。在他的「憶的路」上，在他的「兒時」裡，滿佈着黃昏与夜的顏色。夏夜是銀白色的，帶着梔子花兒的香；秋夜是鐵灰色的，有青色的油盞火的微芒；春夜最甚

鬧的是上燈節，有各色燈的輝煌，小燭的搖蕩；冬夜是數除夕了，紅的、綠的、淡黃的顏色，便是年的衣裳。在這些之一
夜裡，他那生活的模樣兒啊，短々兒的身材，肥々兒的個兒，甜々兒的面孔，有着淺々的笑渦；這就是他的梦，也正是多

麼可愛的一個孩子！至於那黃昏，都籠罩着銀紅衫兒，流蘇帽兒的她的朦朧影，自然也是可愛的！——但是，他為什麼愛在呢？聰明的您得問了。我說在是渾融的，夜是神祕的，在張開了她無長不長的兩臂，擁抱着所有的所有的，但您卻瞅不着她的面目，摸不着她的下巴；這便因可驚而覺着十三分的可愛。堂堂的白日，界畫分明的白日，分割了愛的白日，豈能如她的繫着孩子的心呢？在之國，夢夢之國，正是孩子的國呀，正是那時的平伯的國呀！

平伯說他的憶中所有的即使是薄々的影，只要牠們歷々而可畫，他便搖動了那風魔了的眷念。他說「歷々而可畫」，原是一句綺語；誰知後來真有為他「歷々畫出」的子愷呢？他說「薄々的影」，自是撝謙的話；但這一個「影」字卻是以實道實，確切可靠的。子愷便在影子上着了顏色——我根據平伯的話推演起來，子愷可說是厚其所薄了。影子上着了顏色，確乎格外分明；我們不但能用我們的心眼看見平伯的夢，更能用我們的肉眼看見那些夢；於是更搖動了平伯以外的我們的風魔了的春念了。而梦的顏色加添了林夕的滋味，便是平伯自己，因這一畫啊，只怕也要重重落到那向人的，膩膩的惆悵之中而難以自解了！至於我，我呢，在這双美之前，只能重複我的那句老話：「我的光榮啊，我茶又是光榮啊！」

我的兒時現在真，祗賸了「薄薄的影」。我的「憶的路」幾乎是「直如矢的」，像被大水洗了一般，寂寞到可驚的程度！這大約因為我的兒時實在太單調了；沙漠般展伸着，自然沒有我的「依戀」迴翔的餘地了。

平伯有他的好時光，而以不

能重〃占領離恨；我是並沒有好時光，說不上占領，我的空靈〃感是兩重的！但人生畢竟是可以相通的；平伯訴給我們他的「兒時」，子愷又畫出了牠的輪廓，我們深〃領受的時候，就當是我們自己所有的好了。「你的就是我的，我的就是你的，豈止「慰情聊勝無」呢？培根說，「讀書使人充實」；在另一意義上，你容我說吧，這本小小的書確已使我充實了！

一九二四年八月十七，朱自清記。

能重〻占領爲恨；我是並沒有好時光，
說不上占領，我的空靈之感是兩重的！
但人生畢竟是可以相通的；平伯訴給
我們他的「兒時」，子愷又畫出了牠的輪
廓，我們深〻領受的時候，就當是我們自
己所有的好了。「你的就是我的，我的就是

你的，豈止「慰情聊勝無」呢？培根說，「讀書使人充實」；在另一意義上，你容我說吧，這本小小的書確已使我充實了！

一九三四年八月十七，朱自清記。

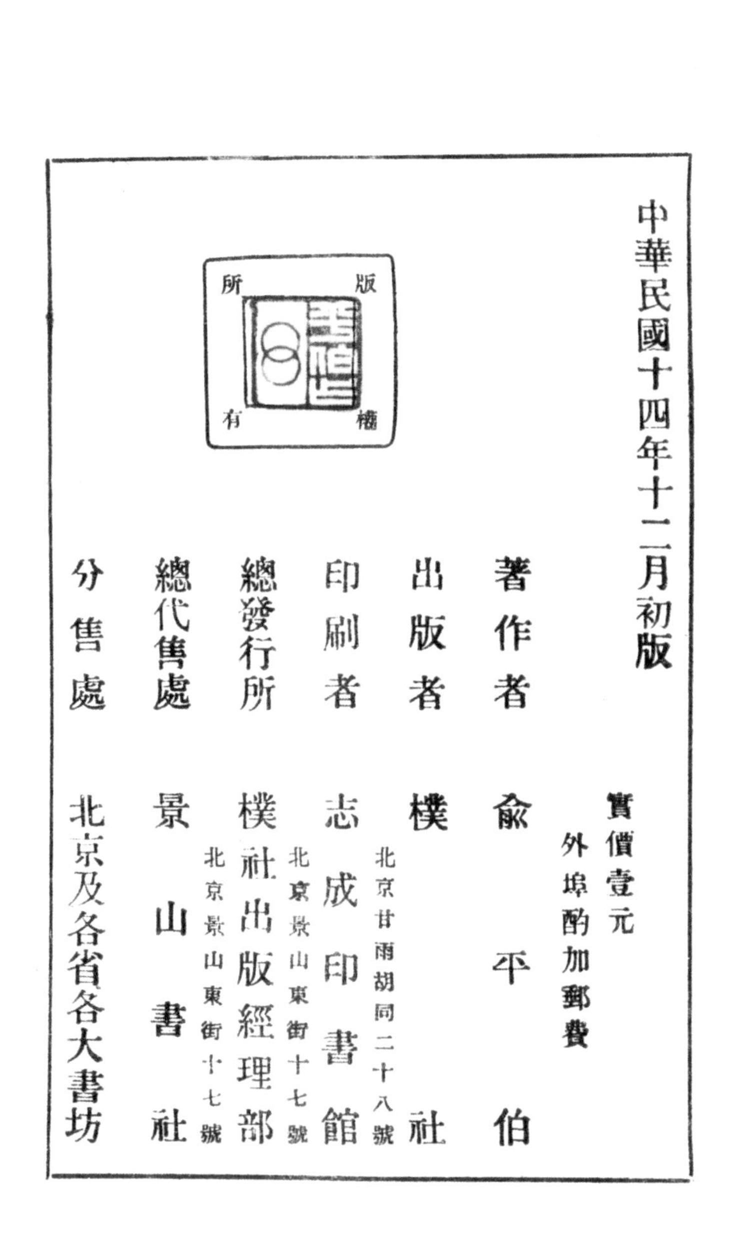
中華民國十四年十二月初版

實價壹元
外埠酌加郵費

著作者 俞平伯

出版者 樸社
北京甘雨胡同二十八號

印刷者 志成印書館
北京景山東街十七號

總發行所 樸社出版經理部
北京景山東街十七號

總代售處 景山書社

分售處 北京及各省各大書坊